叛逆老人

怒りのコラム 2

鎌田慧
KAMATA Satoshi

論創社

＊本書は『東京新聞』で掲載された「本音のコラム」の２０１８年5月22日から２０２２年９月27日までを加筆修正したものである。各項目の冒頭の日付は掲載された発行日である。

はじめに

この本は、東京新聞に連載している「本音のコラム」、最近の四年半分を再録したものである。これを読み返して、安倍晋三、菅義偉、岸田文雄、この三代にわたる政権の劣化はしだいにひどくなり、「民主主義国家」からはるか遠くにきている現実に慄然とさせられる。

「虚妄の時代」というのだろうか。「歴史の逆走」というべきか。

安倍首相は国会で平然とウソをついて恥じることがなかった。菅首相は政府に批判的な学者７人の学術会議会員就任を拒否した。岸田首相はなんの自己決定もできず、安倍派の慫慂《しょうよう》に従い、多数の世論の反対に背いて、自衛隊を動員する極めて国家主義的な「国葬」を実施した。

日本国憲法の精神を否定する「集団的自衛権行使容認」を、安倍政権が強引に閣議決定したのは、２０１４年だったが、そのころからこの国は非民主主義への道を転がり落ちてきた。国会多数を占めた自公民政権は、国会論議よりも閣議決定を優先する。

防衛費がどんどん増大し、生活保護費が削られ、老人の医療費負担額が倍になった。医師が減らされ、病床数も減少した。日本円が下がって国債が膨張する。賃金は上がらず、物価は高騰、収入の格差が拡大し、女性の自殺者がふえた。

福島の被曝住民の苦しみを尻目に、原発の再稼働が強行され、岸田内閣では、老朽原発の60年以上の長期稼働ばかりか、原発の新・増設まで画策されている。政治の頽廃が深まっている。そして事件が起きた。
野蛮な銃弾がこじあけたのが、自民党の長期政権に巣食っていた、反社会的カルト集団、統一教会（改メ世界平和統一家庭連合）の闇だった。が、それは政治的なものではなく、信者二世の私怨のこもった銃弾が、グロテスクな闇を引き裂いて見せつけた。

「私も妻も関係していたということになれば、まさに私はそれはもう間違いなく総理大臣も国会議員も辞めるということははっきり申し上げておきたい」

安倍元首相の森友学園問題への答弁だ。このもってまわった否定は奇妙だ。関係ないなら「関係ない」と、奮然と切って捨てればいいだけなのだ。

「私も妻も関係していれば、総理大臣も国会議員も辞めなければならない」。と泣き言をいいながら、「しかし、私は辞めないのだから、関係ない。それははっきり申し上げる」。との詭弁を弄《ろう》してひらき直る。まるで「朕《ちん》は国家なり」の傲慢さ。

もう4年もたっている。森友学園が経営する「瑞穂の國　安倍晋三記念小學院」建設のために、国有地が9割引きにされた怪挙。名誉校長だった安倍夫人に関わる文書が改竄《かいざん》されていた。

改竄作業をさせられた大阪財務局の職員、赤木俊夫さん（54歳）は、責任の重さに耐えられず自殺した。安倍首相や本省の佐川国税庁長官はいい加減だったが、赤木さんは「公僕」を意識していた。公文書改竄の罪におののいていたのだ。

そのあと、「腹心の友」加計孝太郎氏の願望、岡山理科大学への獣医学部設置認可に、「総理のご意向」が介在していた、との証拠がでてきた。さらに新宿御苑で行われた「桜を見る会」前夜祭。首相支持者たちのホテルでの宴会に、安倍事務所が資金を提供した買収容疑。衆院調査局はこの事

iv

件だけでも、首相の虚偽答弁は１１８回あった、と報告した。

それでも、安倍内閣は7年8ヶ月（その前に約1年）の長期政権を誇っていた。さらに「原発はアンダーコントロール」と世界にむけ、大法螺を放って「東京五輪」が誘致された。そして、スポンサー決定に至るまでの贈収賄の発覚。

国会ではウソが罷り通り、官庁の文書は改竄、隠蔽される。近畿財務局に在籍していた赤木俊夫さんが、その犠牲になった。しかし、「あったことはなかったことにはできない」と内部告発した、前川喜平前事務次官は、いまなお、公然と安倍政権を批判、抵抗し続けている。

安倍首相への銃撃事件は、政治テロなどではなく、家庭の平和を破壊した宗教団体への報復だった。その「広告塔」となり、その見返りに「集票」の利益を受けていた自民党総裁への憎悪の弾丸だった。家庭を分断した団体名が「統一」「家庭連合」というのが悲惨である。

岸田首相は統一教会との絶縁を約束した。しかし、岸信介、安倍晋太郎、安倍晋三、三代にわたって統一教会を利用してきた、その責任を不問にして巨額の国費を投じ、「国葬」にした世間への裏切り行為への反省はない。

政権内部では安倍首相を筆頭に、議員百数十名が統一教会との関係を保ち、萩生田光一自民党政調会長、山際大志郎経済再生相、さらには細田博之衆院議長が濃厚接触、その実態が明らかになった。

国葬は世論調査の6割以上が反対だった。強行された当日、自衛隊と警官隊を大量動員、軍歌が演奏され、あたかも「皇軍」の復活だった。

この本は、たまたま、安倍の公私混同政治スキャンダルの発覚から、Ｇ７の元首がさっぱり来日しない日本落日の国葬、という茶番の日までの記録となった。安倍、菅、岸田。三代にわたって、下降しつづけるこの国の惨状の記録だが、ここで終わりではない。

国葬反対運動は街頭にでて呼びかけると、反応が鋭かった。このエッセイでもなんどか集会、デモの日程を伝えた。と、「デモは初めて」という高齢者や若ものたちが、日ごとにふえた、燎原《りょうげん》の火のように。それは希望の灯だ。ここからはじまる運動を、わたしは信じている。

叛逆老人怒りのコラム222

目次

2018年

2019年

2020年

2021年

2022年

2018年

4月	11年ぶりに韓国、北朝鮮との南北首脳会談が行われる
6月	森友学園を巡る公文書改ざん問題で首相答弁後に記録廃棄したことを認める
	史上初の米朝首脳会談が行われる
	「18歳成人」民法改正が成立
7月	オウム真理教の元教祖や幹部など13人を死刑執行
8月	沖縄知事・翁長雄志氏が死亡
10月	沖縄県知事に玉城デーニー氏が就任
	第4次安倍改造内閣が発足
11月	日産ゴーン会長を逮捕
12月	政府、国際捕鯨委員会（IWC）脱退を発表

家族の訴え

2018年5月22日

先週の土、日曜日。那覇市内、名護市の国立療養所「沖縄愛楽園」で、ハンセン病市民学会が開催された。毎年、各地の療養所で、回復された人たちの体験をうかがい、国の隔離政策の歴史と被害を学び、将来の解決を考える集いである。年1回だが、いつもたくさんの地元の学生や高校生たちがボランティアとして、運営に参加していてたのもしい。

ハンセン病は遺伝、感染する「業病《ごうびょう》」とされ、社会から激しく忌避されたのは、「撲滅」が政府方針だったからだ。それは犯罪的なまちがいだった。

施設内での結婚は認められたが、出産は禁じられ、堕胎、断種の処置が強制された。手術の失敗で、生まれることができた子どもがいた、とは聞いていた。その父親（82）と娘（60）と孫娘（33）、三代のいのちが並んで涙ながらに訴えた。家族の賠償請求訴訟の原告である。

父親のAさんが23歳のとき、園内で知り合った同病の女性と結婚、翌年、妻が妊娠した。しかし、園は堕胎を強制、胎児に注射した。ところが、僥倖《ぎょうこう》というべきか、失敗。女の赤ちゃんが無事に生まれた。再手術が強要されたのだが、Aさんは断固拒否して出産。祝福のない、園内の冷たい眼差《まなざ》しと空気は、想像するだに恐ろしい。赤ん坊は実家に預けた。

Cさんは妻におなじ苦しみを与えないために、断種手術に応じた。それで原告のひとりになった。国の罪業について、わたしたち「社会」の側は、あまりにも無知、無関心だった。

日本の暗雲

２０１８年５月29日

どんよりとした梅雨空。朝からテレビで国会中継を眺めていた。森友・加計。安倍首相の妻と「腹心の友」が関わった、学校建設をめぐる公文書の隠蔽《いんぺい》、改竄《かいざん》、破棄。その疑惑を官僚たちのウソの壁で守らせ、首相は「一点の曇りもない」とうそぶく。

森友、加計に目を奪われている間に、自民党はＧＤＰ（国内総生産）１％を厳守してきた防衛費の枠を撤廃して、10年後には２％を目指す方針を固めた。それと同時に、海上自衛隊の「いずも」型護衛艦を、空母化させる改修工事も計画されている。

航空自衛隊の青森県三沢基地に２月、Ｆ35が１機配備され、最終的には42機態勢となる。１機１４７億円。ざっと数えてこれだけで６０００億円以上。ほかにも本年度だけでもオスプレイ４機、３９３億円。それぞれ米軍需産業からの購入となる。

国会混迷の裏でひそかに軍備が増強され、軍事訓練が盛んに行われている。三沢基地には先週まで、航空自衛隊のＦ35と米海兵隊岩国基地（山口県）のＦ35の８機などが集結、太平洋上や秋田県西方の日本海上で約10日間、空対空、実戦的な日米共同訓練が行われていた。

安倍内閣は北朝鮮との対話ムードに逆らって、相変わらず制裁強化を主張しているが、まず身内の森友・加計の「真実」をあきらかにして、日本列島の暗雲を払うべきだ。

キャンドル行動

2018年6月5日

「腹心の友」に多大なる便宜を図って公私混同、権力の座から刑務所に直行した、韓国・朴槿恵《パククネ》前大統領の闇を照らしだしたのは、市民のキャンドル行動だった。

ほぼ6カ月間にわたって、全国150の地域でパククネ退陣をもとめて燃え上がり、ついに国会で大統領の弾劾訴追を議決、憲法裁判所が罷免を告げた。韓国はあらたな大統領を選んで、いま東アジア平和のための大きな流れをつくりだしている。

キャンドル・デモは「生きることについての美学」「求道をとおして光る一瞬の輝き」(古川美佳『韓国の民衆美術』)。日本では、首都圏での、最初の大規模な抵抗の美学として、5日、午後6時半、東京・日比谷野外音楽堂で、発光ダイオード(LED)のキャンドルの明かりが会場を埋め尽くす。そのまま銀座を通り東京駅に向かう予定である。

「オスプレイ　飛ばすな!」の集会を彩る企画だが、参加者全員に無料で手渡されるキャンドルは「朴槿恵政権退陣行動記録委員会」から、平和フォーラムに贈られてきた一部である。

残念ながらオスプレイは、沖縄の人たちの強い反対を押し切って普天間米軍基地に配備され、墜落事故を発生させてなお危険承知。わがもの顔で飛び回っている。沖縄ばかりか、米軍横田、厚木基地にも飛来。自衛隊は4機393億円も支払って購入する。安倍政治の闇を照らし出せ。

振り込め詐欺

2018年6月12日

ときどき、ヘンな電話が我が家へやってくる。まったく声のちがう息子が、なれなれしい口調で風邪をひいた、というのだが、今回は咽頭ガンだという。本人が電話口に出る前に、C大学S教授を名乗る人から直接の電話があって、まず、息子の病状を説明してくれた。だから声はちがっていても、喉の病気なのだから、わかりがはやかった。

最近は複数人が登場する。関西の友人の体験談では、最初に交番のお巡りさんから「健康保険証の届け出がありました」と電話があった。「調べてみたら手元にありました」と答えたという。と、こんどは本署からの電話で、最近は健康保険証のコピーを使った犯罪が、270件も起きています、といわれ、犯罪予防のため保険証の番号を教えた。そのあと、いわれた警察の番号に電話してみたが、局番ちがいとかで通じなかった。だから、いまのところ被害はないそうだ。

彼らの犯罪の成功はとても難しそうだが、いまも不屈の挑戦を続けているようだ。それより気になっているのが加計学園問題。

安倍晋三首相に、心の友・加計孝太郎理事長が面会したというのは、「自分が考えたウソだった」と加計学園の事務局長が、愛媛県と今治市を訪れて謝罪した。首相の名前を騙《かた》って大学の学部をひとつ造りだした、としたなら、国家の金庫をぶち抜いた振り込め詐欺だ。会っても会わなくとも、新設の獣医学部は加計学園へ、と決まっていたのだから、もっとひどい。

戦争か平和か

2018年6月19日

「朝鮮半島の非核化に懐疑的」。最新の共同通信世論調査の結果である。各政党支持層ともに「実現するとは思わない」が、70から80%もあった。「世論」が歴史的な米朝首脳会談の成果に、あまりにも冷ややかなのが意外である。

安倍晋三首相が拉致問題を「最大の課題」と言い続けていたのが影響したのかもしれない。せっかくの「非核化交渉」の影が薄くなってしまったようだ。それでも朝鮮半島の平和が最大のテーマであることに変わりはない。すでに米韓合同軍事演習は中止と決まった。

制裁強化を叫んで拳を振り上げていた安倍首相も、米朝首脳会談のあと、手のひらを返すようにトランプ大統領に従い、北朝鮮の非核化費用を負担することになった。「最大限の圧力維持」の一本やりでは歴史は動かない、と理解したようだ。

とすると、北朝鮮からのミサイル防衛のために、米軍需産業から購入を決めた「イージス・アショア」2基は無用の長物となる。2基で2000億円以上。「戦後最大の危機的情勢」と喧伝《けんでん》して、秋田県と山口県への配備をもくろんでいる。

安倍自民党は、GDP（国内総生産）の1%以内、としてきた防衛費を将来、倍増の2%（10兆円）とする。一方で安倍首相も金正恩《キムジョンウン》委員長と会談したいようだ。それなら北朝鮮をにらむ米製最新兵器はこれ以上買う必要はない。もう軍備強化、戦争準備はやめよう。

ひとのつながり

2018年6月26日

「はんげんぱつ新聞」が創刊40年を迎えた。1978年5月、全国の住民運動を担っているひとたちと学者、研究者を結ぶ新聞として発刊された、タブロイド判4ページのちいさな新聞である。

発刊された年、東京電力福島第一原発5号機、4号機の順で運転開始、そして2011年3月、最悪の事態を招いた。建設前から反対運動を続けてきた「双葉地方原発反対同盟」の石丸小四郎さん（75）は「多核種処理装置では取り除けないトリチウム水が81万トン。国と東電は海に流す方針を変えていない。まさに海殺しである」と、避難先からの怒りを発刊40年号に寄稿。「廃炉まで200年かかる」と今後の不安を指摘している。

武谷三男、久米三四郎、高木仁三郎、星野芳郎、藤田祐幸、水戸巌、市川定夫さん。皆、脱原発運動の理論家であり、運動家だった。若い頃から、わたしはこの亡くなった先人たちとさまざまな場で出会い、教えられてきた。

未知の人びとを繫《つな》ぎ、たがいに刺激を与え合うのが運動の魅力であり、豊かさだ。このひとたちはどこへでも講演料なしででかけた。そして多くの運動家が育った。

技術評論家の星野芳郎さんとお会いするたびに、「世のため、人のためにやっていますか」といたずらっぽい目で問いかけられた。その言葉がわたしを励ましている。「この人たちが蓄積した財産を生かし、脱原発を迎えたい」。41年目、西尾漠編集長の決意だ。

花岡事件の慰霊祭

2018年7月3日

6月30日。今年も秋田県北端の大館市。緑の眩《まぶ》しい山中にある「中国殉難烈士慰霊之碑」前の慰霊祭に参加した。

73年前。その日の深夜、飢餓と虐待に耐えきれなくなった中国人労働者たちが絶望的に蜂起した。あと1カ月半で日本は敗戦を迎え、解放される。残念ながらその情報はどこにもなかった。「ウサギ狩り」といわれた強制連行の被害者たちだった。海にむかって逃亡した人たちが多かった。そこには遠く故郷に続く海がひろがっていた。

この事件での死者は百人余、捕らえられて広場に繋《つな》がれ、食事も与えられず炎天下に放置された。「死体検索書」に「敗血症兼熱射病」とある。丸太で殴りつけられ、手当てなく野ざらしにされた姿を想像させる。

小学5年生だった野添憲治は、後ろ手に2人ずつ繋がれた中国人のまわりを「チャンコロのバカヤロウ」と怒鳴りながら唾をかけ砂利を投げつけた。それをみて大人たちが拍手喝采していた。

野添は後年、自分の負の体験から花岡事件を検証する作品を書くようになる。110年以上前、仙台の医学生だった魯迅《ルーシン》が、医者をやめて作家になる決意をするのは、日露戦争当時、広場で虐殺される中国人をみて、見物気分の同胞の意識を変えたかったからだ。

いま、中国のひとたちと一緒に、地元の人たちが慰霊祭をひらくことが、平和への誓いだ。

「王」と「大臣」

2018年7月10日

「社に行ってすぐ、『今朝から死刑をやってる』と聞いた」。石川啄木日記、1911（明治44）年1月24日の一節である。啄木は勤め先の朝日新聞社で、幸徳秋水《こうとくしゅうすい》など11人の処刑を聞いた（管野須賀子《かんのすがこ》は翌朝執行）。

明治末期の冬の朝、大逆事件の集団処刑の報は人びとの血を凍らせた。107年たった6日の朝、麻原彰晃絞首刑執行のニュースを聞いた。そのあと断続的に6人の処刑が明らかになった。

啄木の日記を思い出して、わたしは与謝野寛（鉄幹）の詩「誠之助の死」を探して読んだ。「誠之助と誠之助の一味が死んだので　忠良な日本人は之から気楽に寝られます。おめでとう。」

和歌山県新宮の医者だった大石誠之助の友人だった佐藤春夫も「愚者の死」で「裏切る者は殺さるべきかな」と謳《うた》った。ともに反語である。明治末の大量処刑は、犯行なき「大逆事件」のデッチあげ。平成末期のオウム幹部大量処刑は、実際にあった犯行への断罪である。

「勢力を拡大し、さらに救済の名の下に日本を支配して、自らその王となることまでをも空想し、小銃の製造、サリン・VXの製造という武装化を進めた」と上川陽子法相の発言。テロ国家を目指した、という「王」と「大臣」たちは抹殺された。

法相就任以来10人目の死刑執行。鉄幹のように「おめでとう」というべきか。

その前夜の祝杯

2018年7月17日

サッカーW杯決勝戦の高揚もあって、もう忘れられているかもしれない。が、わたしはまだ7人一挙死刑断行にこだわっている。7人にとどまって13人全員でなかったのは、それではジェノサイド、国際世論に反する、との意見もあったからとか。7人でも大量処刑に変わりはない。

死刑執行命令書に署名した上川陽子法相が、処刑前夜の5日、東京赤坂議員宿舎のパーティーで安倍首相のそばにいて、にこやかに笑いながら親指を立てていた。

明朝7人が絞首台からぶら下がると知らない訳はない。

死刑執行命令書へのサインを拒んで、任期を全うする法相は過去になん人かいた。拒否しなかったにせよ、サインした法相は自分の指をみつめ、死者の冥福を祈っている、と想像したりしていたが、そんなのは感傷にすぎなかった。

107年前の1月、大逆事件で24名の死刑判決（12人は減刑）を出したあと、「法官等は横田大審院長の室に集まり三鞭《さんべん》（シャンパン）の盃《さかずき》を挙げ書記給仕に至る迄茶菓の饗応《きょうおう》を受けたり」とは、「東京朝日新聞」松崎天民記者のスクープである。

いまは首相の取り巻き議員たちが、自慢げにツイッターに投稿する。

なにがあっても世の中は変わらない、もやもやして苛立《いらだ》たしい。未来もよくみえない。その閉塞《へいそく》感と悪い奴《やつ》は抹殺する快哉《かいさい》が繋《つな》がっているなら、怖い世の中だ。

よみかき学級

2018年7月24日

「私ははたちで結婚した。ざんねんだけど、こどもができなかったので、こどもといっしょに『あいうえお』をべんきょうできなかった」

73歳の手島きみ子さんの文章の一節である。彼女は学校へ行ったことがなかった。子どもがいれば、学校へ通う子どもから教えてもらって、字を読めるようになっていたかもしれない。

5歳のときに父親が死去、12歳のときに病弱で介護していた母親が亡くなって、おばさんの家に預けられた。そこには8人の子どもがいて、子守りが専業となった。

22日。大阪で部落解放文学賞の授賞式があった。会場でこの作文が入賞した手島さんとお会いした。眼のくりっとした小柄な女性だった。70歳のとき、夫が亡くなり、「識字学級」で字を学ぶ気持ちになった。

「ともだちから『よみかきにいくようになって、かおがあかるくなったね』といわれた。じぶんでもこころがあかるくなったようにおもう。じがよめるようになったし、じがかけるようになって、うきうきする」

手島さんはあらかじめ書いてきた受賞者挨拶を、緊張のせいかつっかえつっかえ読んだ。字を読めないと電車に乗ることもできず、狭い地域だけで暮らしてきた。受賞の報《しら》せをうけて学校へいけなかった悔しさを思い出して眠れなかった。非識字者の悲しみは、勉学を保障できなかった国の恥だ。

2018年恐怖の7月

2018年7月31日

「死者たちに如何《いか》にして詫《わ》ぶ赤とんぼ」

1年3カ月前、獄死した死刑囚・大道寺将司《だいどうじまさし》の句である。1974年8月、三菱重工爆破事件を起こして、8人の死者と376人の負傷者をだした大道寺は、被害者を想いながら句作を続け、69歳になる手前で病死した。

「残骸の獄屋《ひとや》の梁《はり》に寒鴉《かんがらす》」。この荒廃の風景は処刑後の世界だろうか。わたしは大道寺の病死を知って、処刑でなくてよかったと思った。

病が重かったのは、彼の支援者たちの交流誌「キタコブシ」を読んでいたので知っていた。あらためて書庫から句集『友へ』『棺一基』を取り出したのは、オウム死刑囚13人の大量処刑、この恐怖の7月の異常さに突き動かされたからだ。

大道寺将司のように、オウム死刑囚たちも、テロによる社会改革はまちがいだった、と身を裂くような思いに捉えられていたであろう。被害者たちはなんの理由もなく殺された。この13人ひとりひとりの苦悩と自省は、大道寺のようには社会にひろがっていない。

まるで勝ち誇ったかのような安倍内閣の連続死刑「断行」は、揺るぎのない強権政治の誇示なのか。駐日EU代表部と加盟国の駐日大使は「極刑の使用反対」声明をだした。死刑制度存置は世界の恥だ。ハラキリ、特攻、あだ討ち。日本人の意識を縛るふるい価値観だ。

沖縄戦の教訓

2018年8月7日

ヒロシマがあっても、日本は降伏しなかった。ナガサキがあって、ようやく敗戦を認めた。それで「本土決戦」は免れた。なんと日本の指導者たちは愚鈍にして無責任だったことか。全島戦場となった沖縄の悲劇が、本土決戦の前哨戦だった。

記録映画『沖縄スパイ戦史』（三上智恵・大矢英代《はなよ》監督）は、沖縄の10代の少年たちが「護郷隊《ごきょうたい》」という名のゲリラ部隊に組織され、米軍と戦った事実を掘り起こした。

少年たちは戦車に突っ込む爆破隊員や斬り込み隊員にされて戦死した。負傷して生き残り、精神に重い後遺症を抱え「兵隊幽霊」といわれた証言者が登場する。

中東やアフリカなどの内戦で死傷した少年とおなじ酷《むご》さが、沖縄でも行われていた。スパイ容疑で日本兵に虐殺されたり、作戦の邪魔になるとマラリア猖獗《しょうけつ》の地へ移住させられ、大量の死者が発生していた。その指導者は陸軍中野学校でスパイ教育を受け、米軍上陸に備えて派遣された、まだ20代初めの若者たちだった。

人類最大の悪としての戦争は、勝つためにはすべてが許され、最大の善に転化する。映画は島民を犠牲にした青年将校たちを人間的に視《み》ようとしている。いま、宮古島、石垣島、与那国島に自衛隊員が派遣され、ミサイル防衛に当たろうとしている。基地は戦争を呼び、戦争は若い隊員の人間性と島民との関係をかならず破壊する。

翁長知事の言葉

2018年8月14日

会場を埋め尽くした人びとの傘やレインハットに跳ね返った小雨が、風に乗って霧のように流れるのを眺めていた。

11日、那覇市の奥武山《おうのやま》公園でひらかれた、辺野古新基地建設断念を求める県民集会は、台風の接近で中止が心配されたが、天佑《てんゆう》のように外《そ》れて、7万人の大成功となった。

8日に急逝した翁長雄志《おながたけし》知事の遺志を継ぐ集会が成立するかどうか、それが9月30日に実施される知事選の先行きに、大きく関わっていた。

「イデオロギーよりもアイデンティティー」「誇りある繁栄を」。

4年前、那覇市長を辞職、県知事選に立候補したときのスローガンだった。選挙の取材で那覇にきて、わたしはその言葉の新鮮さに驚きを感じさせられた。

翁長知事の全身を懸けて発せられたこの言葉は、もう沖縄には基地を建設させない、とする誓いの言霊《ことだま》となって、超満員の会場にひろがっていった。この言葉の力が、保守・革新を超えた「オール沖縄」の抵抗の精神を育み、建設強行の安倍政権と真っ向から対峙《たいじ》する県政をつくりだした。

胃がんで胃を全摘、さらに膵臓《すいぞう》がん切除。7月27日、翁長知事は記者会見をひらき、仲井真弘多《なかいまひろかず》前知事が埋め立てを承認した工事の撤回手続きに入ると明言した。死はその12日後だった。沖縄の未来を示した見事な政治家だった。わたしたちはなにをなすべきか。それが問われている。

叛逆知事の遺言

2018年8月21日

防衛省が17日に予定していた、沖縄・辺野古湾への土砂投入は、ついに延期された。なぜか。

知事選にマイナスだからだ。知事選は11月に行われる予定だった。その日までに土砂投入が進めば、あきらめもひろがって「米軍新基地建設反対」運動も弱まるだろうと、安倍政権は踏んでいた。

埋め立て予定地の護岸工事も一応終わって、これから大量の土砂が投入されようとしていた。投入によって、土砂に付着した外来種が沖縄独自の生態系に侵入し、豊かなサンゴは死滅し、ジュゴンの餌場はなくなる。

その直前に、運動の最前線にいた翁長雄志《おながたけし》知事が急逝した。身を挺《てい》して工事現場に立ち塞《ふさ》がったかのように。埋め立て工事が自民・公明側の選挙にとって不利になるのは、その工事が沖縄の民意に反していることの証明である。

だから、政府は選挙日よりすこしでもはやく、土砂投入を強行して、県民の怒りを緩和させようと計算した。だが、翁長知事の死が、その思惑をもろくも潰《つい》えさせた。

「うちなんーちゅ、うしえーてー、ないびらんどー」(沖縄人をないがしろにしてはならない)

翁長知事は集会での演説のはじめを、いつもウチナーぐち(沖縄語)で語りかけた。沖縄のプライドを、わたしは21日発売の「サンデー毎日」(9月2日号)に「安倍政権と闘い抜いた沖縄人叛逆《はんぎゃく》知事の遺言」として書いた。

対岸の火事

2018年8月28日

ヘリコプターの爆音が近づいてくると、最近、つい首を上げて空を見上げる。というのも、先月6日、新宿で会合があって自宅から駅にむかっていたとき、重い爆音とともにオスプレイが上空を飛び去っていったからだ。

わが目を疑った。2、3日してからだが、埼玉県の米軍所沢通信施設に訓練目的で飛来した、との記事が東京新聞にでた。抜き打ち訓練だったのだ。

1995年の米兵3人による少女暴行事件。戦時中の集団自死はなかった、とした教科書書き換え問題。オスプレイ配備反対。そして先日の辺野古米軍新基地建設反対、そのたびに沖縄では八万人前後の県民大集会がひらかれ、わたしも参加してきた。

それぞれの集会は、地元の琉球新報や沖縄タイムスで、第一面と最終面との二面をぶち抜きにした大特集記事が組まれ、世論の盛り上がりを反映している。ところが、「本土」の新聞は、沖縄の叫びに冷淡というか、あつかったにしてもちいさく、いわば対岸の火事状態だった。

対岸の火事と言えば、日本を戦争に巻き込む「安保法制」の必要性を、テレビで説明する安倍首相は、米国の火の粉が降ってきたとき、日本の消防（自衛隊）が駆けつける漫画を多用していた。

陸上自衛隊は1機百億円のオスプレイを17機購入する、という。米海兵隊・空軍合わせて51機が日本の空を飛びまわる。無視してきた沖縄と本土はおなじ運命なのだ。

デタラメ原発再稼働

2018年9月4日

首都圏の原発として、福島事故のあと、にわかに不安視されるようになった、茨城県・東海第二原発の再稼働にたいして、水戸市議会などからの批判が高まっている。

この原発は40年前の1978年11月、国内初の大型原発として営業運転をはじめた。すでに40年もたった「老朽原発」なのに、あと20年も稼働させる、というデタラメ。

なにしろ、東京まで100キロ、30キロ圏内に96万人も住む地域に、原発ばかりか、もっとも危険な使用済み核燃料再処理工場も建設された。そのとき、「原子力村」の呼称が自慢だった。事故が発生したら逃げ場がない、とは考えられなかった。

もともと、30年運転が前提の設計だった。地盤も弱い。フクシマ事故のとき、ここでもやはり津波で浸水、非常用発電機が1台喪失、必死の手動で冷温停止まで3日半もかかった。多重防御装置もなく、原子炉も電気ケーブルも劣化が進んでいる。

専門家からは、原子力プラントの建屋など、基本設計を抜本的に再検討すべきだ、と指摘されている。すぐ隣にある再処理工場には、不安定で、猛毒の高レベル放射性廃液が大量に残され、どちらかが事故を起こしたら一蓮托生《いちれんたくしょう》。首都壊滅となりかねない。

しかも、いまや禁治産者同然の東電から、資金援助をうけて再稼働しようというい加減《かげん》さ。東京都は東電株主第五位だ。そんな危険、かつ無駄な投資はやめさせよう。

「生産性」と「人間性」

2018年9月11日

10代、20代の同期生で亡くなった人は多い。わたしは70歳すぎになって、フクシマの大事故直後から、「さようなら原発」運動をはじめたので、いまは70代、80代の友人がふえた。たいがい病気を抱えた人たちだが、運動の主力？ である。

いまパリに来ているのは、30代で知り合っていたアンドレ神父の追悼会をやる、と社会学者フランソワ・サブレさん（72）から連絡があったからだ。アンドレ神父は川崎市のカトリック教会で、労働司祭として23年ほど働いて帰国。先日、83歳で世を去った。

9日、パリ七区の神父宿泊所に、在仏の日本人もふくめて50人ほどが集まった。やはり川崎にいたマキシム・ドビョンヌ神父もやってきた。彼は指紋押捺《おうなつ》を拒否して、日本の拘置所になん日間か入れられていた。

わたしはキリスト者ではないが、生産性や利益を追求しない神父たちを尊敬している。何十年間か、日本で暮らしても信者がさほどふえたわけではない。人びとの苦しみをうけて寄り添い、生きる力になりたい、という欲得抜きの生き方なのだ。

それはなにも宗教者ばかりではない。事故があったら取り返しがつかない、という不安感から脱原発運動がはじまった。他人ばかりか、自分や子孫が犠牲になろうとも、原発で儲《もう》けを追求するのは浅ましい。非人間的な生き方だと考える年寄りがふえている。わたしは「叛逆老人」と呼んでいる。

原子力発電の尊厳死を

2018年9月18日

福島原発事故のあと、内橋克人、大江健三郎、落合恵子、坂本龍一、澤地久枝、瀬戸内寂聴さんらとはじめた「さようなら原発」運動は、7年たったいま、会場に脱原発を訴えた、TシャツやDVDを販売するブースが20軒ほどたち並ぶようになって、にぎやかだ。

17日、代々木公園で行われた大集会では、青森県の下北半島の先端、大間原発建設に反対して土地を売らなかった熊谷あさ子さんの長女の厚子さん、奈々さん親子も昆布やわかめ、ひじきなど、津軽海峡の海の幸を携え、いつものように元気な笑顔をみせた。

大間は本マグロで有名だ。国際海峡であって海外の船が自由往来する、その鼻先にもっとも危険な、プルトニウムを燃料にするフルMOX原発をつくるなど、国際スキャンダルだ。集会では40年をすぎた東海原発再稼働批判やフクシマ事故避難者の生活困難などの報告があった。

わたしたちが若い時代には、原発稼働は30年といわれていた。東海第二原発は11月で40年。それなのにあと20年もやるという。首都圏にあるもっとも危険なポンコツ原発だ。それを許してきたのはわたしたちの力不足だ。

下北半島は東海村につぐ「核センター」を謳《うた》ってきた。しかし、すでに原子力船「むつ」は廃船、六ケ所村の再処理工場は死に体。東通村に東電・東北電力原発十基建設の大計画は、東北電力の一基だけ稼働したが、運転休止中。ゼロ。たそがれの原子力行政。カネとメンツだけの延命策はやめろ。

原発避難者の受難

2018年9月25日

フクシマ原発事故のあと、放射線が強いため、強制退去させられた地域以外で、子どもを抱えて福島県外へ避難したひとたちは「自主避難者」と呼ばれる。強制退去を命じられた家族の生活費などは、補償の対象になっているが、自主避難者への生活補償はない。それでも将来の子どもの健康だけを考えて、苦渋の決断だった。

このひとたちの住宅費の支援は、昨年3月で打ち切られた。1年前の東京都の実態調査では、月収20万円以下が過半数を占めている。新潟県精神保健福祉協会の調査では、重度ストレスが25％と通常の5倍に達している。居住の不安定を思えば当然といえる。

福島の自然の恵みを受けて暮らしてきたひとたちである。このひとたちにはなんの罪もない。ところが、立ち退かない、居座っている、などと非難されはじめている。この悲惨な状況をつくりだした東京電力の責任は忘れられ、被害者側がわがままと批判される、本末転倒。

いままでは各地の公営住宅や公務員住宅、雇用促進住宅など、空き家の提供を受けていた。が、6カ月後には打ち切りになる。さらに2年後には強制退去のひとたちへの補償も縮小されそうだ。

放射能を「アンダーコントロール」（安倍首相）といって誘致された五輪がはじまる。それまでに被害者の姿がみえなくされるのではないか。それが避難者たちの恐怖である。

希望の沖縄

2018年10月2日

1カ月間に3回、前月を入れると4回、5日間。菅義偉《すがよしひで》官房長官の沖縄入り回数だ。県知事選挙で、自公など推薦候補の応援のためである。

「私は危機管理を職務としていますので、特別な場合を除いて官邸の周辺から離れることはありません」（月刊「Ｈａｎａｄａ」11月号）といいながらも、菅内閣官房長官の立て続けの沖縄訪問は、危機意識からだった。なんの、安倍内閣の。「辺野古」米軍巨大新基地建設の成否が、日米関係の危機。安倍政権の危機感のすさまじさが、露骨にあらわれた選挙だった。

佐喜眞《さきま》淳《あつし》候補は、政権との一体化による所得向上を謳《うた》い、官房長官ともども携帯電話料金値下げを公約にして、若ものたちの関心を引こうとしていた。わたしは、那覇市から４００キロ南の石垣島で、玉城デニー候補に取材し、80キロ北の名護市で佐喜眞候補の演説会を取材した。

小泉進次郎議員を三回投入、企業や団体の社員や職員を期日前投票へ大量に運ぶ、「勝利の方程式」（渡具知《とぐち》武豊《たけとよ》・名護市長）で、票が固められていた。

「戦後沖縄の歴史を背負った政治家」と翁長雄志知事に評された玉城デニー候補が、米兵の父親、沖縄人の母親という出自を語る口調は、柔らかく、自在だった。

福祉と人に対する優しい心づかいが胸を打った。彼の勝利は沖縄人のプライドの勝利であり、人間の尊厳に無知な強権政治の敗北である。

ブラックアウト

2018年10月16日

太陽光発電を抑圧して、原発稼働を優先させる。九州電力の決定である。「危険第一。安全第二」。このアベコベ政策は安倍首相、世《せ》耕《こう》弘成《ひろしげ》経済産業相による時代錯誤。政府の原発猛進政策に従う、九電経営者の無責任方針だ。

戦争解禁を狙う憲法九条改悪も危険第一主義。それにむけたイージス・アショアやオスプレイの爆買いは、アメリカ軍需会社への大盤振る舞い。

庶民のカネを巻き上げるカジノ公認は、トランプ大統領「腹心の友・ラスベガスサンズ」の差し金。アメリカによる、アメリカのための政治は、もううんざり、という声が地に満ちている。

沖縄・玉城デニー知事初登庁のインタビューで那覇に行ったが、帰りは台風で飛行機が欠航。続けて行った、札幌の「さようなら原発集会」も、台風で野外集会とパレードが中止。北海道は全道ブラックアウトという異常事態になった。それを利用して、泊原発が稼働していれば停電がなかった、というフェイクニュースが出まわった。

「次の事故がおきたなら、わたしたちの居場所はない」というのが、札幌集会のスローガンだった。ブラックアウト対策には、本州からの電源ケーブルの増設。自然（再生可能）エネルギー発電のための、送電線網のすみやかな開放などがある。

「次の戦争がおきたなら、わたしたちの居場所はない」。それがミサイル戦争時代のスローガンだ。

むのたけじ賞

2018年10月23日

101歳で亡くなるまで、むのたけじさんは戦争反対を叫びつづけていた。「ほとんどの男は、とても自分の家族、自分の女房や子どもたちに話せないようなことを戦場でやっているんですよ」。従軍記者として目撃した戦争の酷《むご》さ、加害者の犯罪性批判がむのさんの戦争反対の原点だった。

敗戦を迎えたとき「戦意昂揚《こうよう》の旗振り役」だった、と自己批判、その責任をとって朝日新聞記者をやめた。その決断の潔さはよく知られている。

そのあと、むのさんは秋田県横手市に帰郷。徒手空拳、週刊新聞「たいまつ」を発刊。地域から日本を変えるために、30年間奮闘した。休刊後も人びとを励ます文章を書きつづけ、2年前に他界した。その精神と肉体の強靭《きょうじん》さは、ジャーナリズム史上に燦然《さんぜん》と輝いている。

むのさんの終焉《しゅうえん》の地である埼玉県の市民運動グループが、「むのたけじ地域・民衆ジャーナリズム賞」を創設するというので、わたしも落合恵子さん、佐高信《さたかまこと》さんなどと呼びかけ人になった。

地域紙や出版、ドキュメンタリー映画など、地域の問題に果敢に取り組んでいるひとや集団を顕彰しようという取り組みである。「野の遺賢」に光を与えたい、というのが趣旨で、賛同する市民の浄財で運営を賄う。

賞とは無縁の生涯だったむのさんに「おれが欲しかったよ」と喜んでもらえるような賞になればいいな。

原発避難者の訴え

2018年10月30日

福島原発事故の避難者は、全国に散らばっている。古里に帰るあてのない生活は、想像するだけでも傷《いた》ましい。内堀雅雄《うちぼりまさお》県知事は、2020年3月には、浪江町、富岡町など「帰還困難区域」からの避難世帯にたいする応急仮設住宅提供を打ち切る、と主張している。

原発誘致を決定したのは県と各自治体だった。だから被害者への責任がある。避難者の困窮を尻目に、再稼働へ突進している電力会社の姿は、犠牲者をハネ飛ばして走るダンプカーのようだ。

東電以外の会社は「事故を起こしたのはうちではありません」といいたいようだが、「事故など絶対起こしません」とはいわない。「避難計画を検討中」というだけだ。昔、伊方《いかた》原発のある愛媛県伊方町の町長に会ったとき「国が安全だ、というから安全です」とケロリといった。

秋田県の避難先で、夫と死別したある女性は「働いている人のことを思えば、原発やめろとはいえない」と語った。「被害者が当事者なんですから」とわたしは強くいった。そのあと、「活をいれられました」と書いた手紙をもらった。

被害者でさえ声をあげず遠慮して生きる、原発社会の精神支配だ。これから、避難者の存在は「復興オリンピック」の喧噪《けんそう》に消されそうだ。住宅は生活と人権の基盤である。その破壊こそが原発の本質だ。最後のひとりまで、避難者の生活を支援する責任が、東電、国、県にある。

がんばる新聞！

2018年11月6日

防衛省はなぜ、山口と秋田に、地上配備型迎撃システム（イージス・アショア）を配備するのか。2基で2352億円。1発40億円のミサイル代などをふくめると、総額8000億円以上もの浪費になりそうなのに。

ハワイにむかう北朝鮮の弾道ミサイルを秋田で、グアムへむかうのを山口県萩市で落とす。米国のための防衛計画だ。そもそも、北朝鮮が米国にミサイルを発射させないように努力するのが「積極的平和主義」だ。

「南北の融和と民生安定に、隣国として力を尽くすべきではないのか。地上イージスを配備する明確な理由、必要性が私には見えない。兵器に託す未来を子どもたちに残すわけにはいかない」と自社の新聞で書いたのは、『秋田魁新報』の小笠原直樹社長だ。

地上イージスが配備されれば、秋田県は半永久的なミサイル基地となり、ふたたび「強兵路線」に転じる、との強い憂慮を書いた。記者が東欧のミサイル配備地を取材するルポを掲載、社長を先頭とする基地反対キャンペーンがすがすがしい。

東京新聞も「兵器ローン残高　5兆円突破　米から購入　安倍政権で急増」と、「後見人」米政府から購入を強要されている、グロテスクな安倍政治を視覚化する記事を連発している。沖縄では「基地建設は認めない」とする県民投票がはじまる。平和憲法存亡の秋。新聞が力を示す刻《とき》だ。

歴史を軽んじる罪

2018年11月13日

戦前、ブラジルへの移民は、神戸から西回りでマラッカ海峡を抜け、喜望峰をまわってサントス港に入港した。それだけでも長大な航路だが、長谷川忠雄さん(85)一家12人は、いくつかのコーヒー農園で働いたあと、第二次大戦がはじまる前に帰国した。そして、こんどは満州最北、佳木斯《ジャムス》の奥、富錦《フキン》に移住した。

長崎の中国人強制連行裁判を支援する会で、ボランティア通訳として活躍している長谷川さんが最近だした、『落葉して根に帰る——満州にとり残された少年の戦争と戦後』(海鳥社)は、月並みな「数奇な運命」という表現では間に合わないほどに過酷な記録だ。

生活するためだけで地球規模で移動し、侵略地・満州で敗戦を迎え、混乱のなかで2人の姉を喪《うしな》い、両親が目の前で殺害された。亡国の民だった、12歳の著者と10歳の弟を救ってくれたのは「中国の貧しい人たちだ」と書いている。

毛沢東《もうたくとう》の解放軍に入って、蔣介石《しょうかいせき》の国民党軍と戦う戦車の修理に従事していた。そこには日本人技師が大勢残って活躍していた。帰国できたのは、1953年の春だった。

日本政府が中国、朝鮮でやった、強制連行、強制労働を「すでに解決済みだ」というのだが、「自国が犯した罪は潔く認めるのが正道ではないか」と長谷川さんはいう。異国に遺棄され生死の間を彷徨《さまよ》った苦難の人生の末の結論である。「歴史を軽んずるものは将来を誤る」。それが教訓だ。

原発と包帯

2018年11月20日

27日で、東海第二原発は運転期限の40年を迎える。「40年で運転停止」。それが40年たって大事故を起こした福島第一原発の教訓だ。東海第二は福島原発とおなじように東日本大震災で被災、自動停止した。外部電源喪失、非常用発電機も、1台が海水によって損害を受けたが、なんとか原子炉を停止させることができた。

まるで天佑《てんゆう》のように、過酷事故を免れた原発だ。原子力規制委員会は今月はじめ、2038年までの稼働を認めた。その延命措置のために1740億円が必要としている。それを運営会社の日本原子力発電に28%出資している東京電力が、資金保証するという。破綻して国の資金援助(税金)を受けている東電に、そんな資格があるのか。

東京から100キロ。30キロ圏内に100万人が住む首都圏原発。原電は原子力行政の看板企業だからか、政府はむりやり後押ししている。が、周辺自治体の議会や住民の「再稼働反対」の声が高まっている。満身創痍《そうい》、包帯姿で首都圏を徘徊《はいかい》する、怪奇映画『フランケンシュタイン』の姿のように、ぞっとさせられる。

20年の稼働延長に抗議し、27日午後5時半から「原電本社包囲ヒューマンチェーン」がある。「とめよう!東海第二原発首都圏連絡会」主催。翌日正午から1時間、衆議院第二議員会館前で「運転延長に抗議する緊急行動」。「さようなら原発一〇〇〇万人署名有志」の主催。

外国「人材」を獲得せよ

２０１８年11月27日

国会答弁で安倍首相が「日本人と同等以上」というのを聞いた。前にもそう明言していた。これから大幅に拡大しようとする外国人労働者の賃金を、「日本人と同等以上」にするなら誰も反対しない。同一労働同一賃金。これも安倍首相の公約である。人権への配慮か。

しかし、どのように実現するのか、その方針も具体策もまったくない。口先だけの空手形。賃金を下方にむけて同一化するのなら、目くらまし政策というしかない。

労働力不足とかいわれているが、それは労働条件が悪く、賃金が低い職場のことであって、高給優遇すれば、人材は殺到する。ところが最近は熟練技能者以外の、未熟練単純労働者も「外国人材」に格上げされている。

これは戦後から、職業安定法で「労働者供給業」（いわゆる「人夫《にんぷ》出し」）が禁じられていたのを１９８６年、専門的13業務に限って施行された労働者派遣法が、「人材派遣業」などと体よくいうやりかただ。派遣労働者をふやしたことが、日本の雇用秩序を破壊した。会計上、「人材」の勘定は「資材代」にされていたりした。

単純労働者が「特定技能1号」の名目で大量に導入される。２０１２〜18年6月まで、虐待に耐えられず失踪した外国人実習生は、3万２６４７人。半数以上が時給５００円。戦時中の徴用工の損害賠償問題も未解決なのに。またもや財界要求丸呑《の》みの排外政策。

あとは野となれ

2018年12月4日

恥ずかしいことだが、「カネミ油症」事件は終わったとばかり思っていた。黒い赤ちゃんが生まれた、体じゅうに吹き出物ができたなどと騒がれたのは、50年も昔だ。

チッソの水俣病、三井金属鉱業のイタイイタイ病と並び、北九州市のカネミ倉庫が製造販売した「ライスオイル」の「食品公害」が報道されたのは1968年。食用油の製造工程で猛毒のポリ塩化ビフェニール（PCB）やダイオキシン類が混入、被害を届けた人は1万4000人以上にもおよぶ。

その頃、北九州の公害の取材に行っていたので、小倉市（当時）にある工場は見に行った。が、取材はしていない。それでも、PCBを生産した「カネカ」のある兵庫県高砂市で、12月1日にひらかれた、カネミ油症被害者支援センター主催の「50周年記念集会」に行ったのは、人体や環境に蓄積された有毒物に関心があったからだ。

高砂市の工業港の脇にアスファルトで固められた小高い丘がある。海底の汚泥を浚渫《しゅんせつ》、PCBを固化、処理した山だそうだ。輸入、生産した5万9000トンの10分の1も回収されていない。本人、二世、三世の被害認定や救済もすすんでいない。

会社の儲《もう》けがすべてに優先され、人体と環境に与える害悪は無視される。原発の危険性と解決不能な未来の後始末を重ね合せ、PCBの小山の前でわたしは暗然《あんぜん》としていた。

平成の大盤振る舞い

2018年12月11日

まるで「平成」を足蹴《あしげ》にするように、安倍内閣は「平成」時代最後の臨時国会で、いくつかの重要法案を、騒乱のうちに一挙に成立させた。「外国人材」の虚名で、外国人労働者の大量導入を図る「改正入管難民法」は、衆参両院合わせて40時間たらずの討論時間だった。

水道の民営化を促進する「改正水道法」、さらに大企業の漁場進出を助ける「水産改革関連法」など、大企業優遇策が深夜から未明にかけ強行採決された。

「権力を握る側の強圧として映った」とは、58年前の5月、やはり深夜から未明にかけて衆議院本会議で日米新安保条約を承認したあと、安倍首相の祖父が世論の批判を受けての述懐である（『岸信介回顧録――保守合同と安保改定』）。

「昭和の妖怪」「巨魁《きょかい》」と称された岸首相が、憲法改悪の悲願を達成できずに退陣したのは、この暴挙にたいする世論の反発と大衆的なデモによっている。後世、安倍氏はどう呼ばれることになるか。

トランプ大統領の安倍首相への感謝の言葉があきらかになって、2人の間に米軍需産業の高額兵器を爆買いする密約があったことがわかった。防衛費が膨れあがっても、日本の兵器産業にまわる資金は、払底するほどの大盤振る舞いである。

日本製護衛艦「いずも」は、憲法違反の「空母」に改造される。破格の高価格であるF35B戦闘機をバカ買い、それを搭載するためだが、これも米国製だ。

バベルの塔

2018年12月18日

とにかく力ずく。道理も情愛も思いやりの一滴《ひとしずく》もない。政府は無表情で命令するだけ。辺野古の海に土砂が大量に投入されるのを目の当たりにして、玉城デニー沖縄県知事は「胸をかきむしられる」と表現した。あの海の色を知る人たちの共通感覚である。

ジュゴンとウミガメなどさまざまな生き物が棲《す》む手つかずの海に、汚れた土砂を投げ込むのは神を恐れぬ行為だ。160ヘクタールもの海域を埋め立て、米軍の戦争用の軍事基地をつくるという。

「悪魔とは他の人間の犠牲の上に生きる人間のことである。そして殺し合い、奪い合い、だまし合って生きる人間のことだ」(『米軍と農民――沖縄県伊江島』)とは、戦後、伊江島で米軍の土地収用に、非暴力抵抗をつづけた阿波根昌鴻《あはごんしょうこう》さんの言葉だ。伊江島は玉城知事の母親の里でもある。

玉城知事は土砂投入に抵抗して座り込む人びとを「勝つことは難しいかもしれないが絶対にあきらめない」と激励した。負けるのではない。あきらめないでがんばればかならず道は拓《ひら》かれる。

「耐えがたい日を迎えた。が、打つべき手は絶対ある」。玉城知事の言葉は、自信に満ちている。埋め立て予定地の東側海底は、マヨネーズ状態。活断層もある。所詮、工事は無理なのだ。160ヘクタールもの海を埋め立てる行為は「バベルの塔」のように神々の怒りを買おう。ましてパワハラは国際的な恥である。

ヒロポン中毒

2018年12月25日

「ヒロポン」は戦後を彩る覚醒剤である。たとえば昼夜兼行、オールナイトの「沖仲士《おきなかし》（港湾労働者）」の荷卸し作業に、「ヒロポン」が多用されていた。芸能界のだれそれが中毒患者だったとか、その害は一般市民にもよく知られている。

戦後に流行したのは、陸海軍に備蓄されていたのが、民間に放出されたからだ。戦時中は「『戦力増強剤』として、航空兵や第一線兵士に与えられていた」（吉田裕『日本軍兵士――アジア・太平洋戦争の現実』）。精神的にも肉体的にも疲弊しきった兵士の最後の拠《よ》りどころが、ドーピング。「戦意高揚」の素《もと》がクスリだった、とは悲しい。

同書によれば敗戦前年の１９４４年、「皇軍」兵士の軍服は綿製、軍靴は鮫皮《さめ》、飯盒《はんごう》は竹製、背嚢《はいのう》は背負い袋などの代用品となっていた。戦局の悪化にともない、「戦争神経症」といわれた精神疾患患者は増大していた。負け戦は明らかだった。戦争終結にむかう道は閉ざされ、戦地では戦死、戦病死、内地では被爆死者が山を築いていた。が、軍部は決断しなかった。

敗戦の歴史から想起されるは、原発終結の道筋である。原子力船「むつ」の無様《ぶざま》な廃船。東海村核燃料加工工場ＪＣＯの事故、もんじゅの敗退、福島原発の連続爆発事故と放射能汚染の現状。六ケ所村の再処理工場など「核燃料サイクル」とその北側にある、電源開発大間原発の暗い未来。それでもヒロポンのような原発再稼働。暗愚《あんぐ》の東条内閣の末路を視よ。撤退こそが理知的な決断だ。

2019年

2月　沖縄県民投票、辺野古埋立て「反対」7割超

4月　新元号「令和」に決定

明仁天皇、約200年ぶりの生前退位

6月　トランプ氏、米大統領として初の北朝鮮入り

10月　消費税10%が施行

首里城が火災で焼失

11月　「桜を見る会」翌年度中止に

12月　アフガニスタンで中村哲医師が銃撃され死亡

1年3カ月ぶりに日韓首脳会談が行われる

中国が武漢市で「原因不明の肺炎」の集団感染が確認されたと世界保健機関（WHO）に報告

命《ぬち》どぅ宝

2019年1月1日

新年おめでとうございます。今年こそ命を大事にする政治に変えたい。沖縄のよく知られている琉歌の一節である「命《ぬち》どぅ宝（命こそ宝）」。この思想が社会生活のなかに根付いてほしい。「命は鴻毛《こうもう》より軽し」と鼓吹《こすい》され、戦争に駆り立てられた反省と平和への強い希求が「命どぅ宝」にこめられている。74年前に終わった戦争は、アジア・太平洋地域で2000万の外国人を殺戮《さつりく》し、日本軍人・軍属230万、民間人80万の戦没者をだした。

この痛恨の想《おも》いの凝縮が平和憲法前文であり、第九条である。それを声高にあげつらい、ないがしろにし、憲法尊重・擁護義務に違反している政権が、大手をふるっているのは奇妙な光景だ。しかし、「命どぅ宝」は戦争を封じるだけの言葉ではない。利益のためにはいのちを無視する野蛮も、批判の対象だ。戦後日本の人命無視の急速な経済成長は、日本列島を公害列島にさせた。ポリ塩化ビフェニール（PCB）が人工的につくりだされ、有機水銀、カドミウムなどを大量放出。アスベスト（石綿）が工場労働者や住民を苦しめ、殺害した。

被害が発覚してから製造中止になったものは多い。が、刑事責任は問われていない。さらに危険で被害の強大な核分裂は、大量破壊兵器・原爆として利用され、商業化されて原発になった。この毒物の速やかな廃止こそ、今年の課題だ。

痛みを感じる

2019年1月8日

シンガポール港の上空を蜘蛛《くも》の大群のように、小型のケーブルカーが駆け昇り駆け下っている。それに乗って南側のセントーサ島に渡ると、かつて難攻不落を誇った英軍のシロコ砦《とりで》の跡がある。

1942年2月、「シンガポール陥落」の報道は日本人を興奮させた。ある画家は日本軍が「昭南島」と改名した、シンガポールの民家の屋根屋根に翻る日の丸を描いた。その陰に抗日運動容疑者が大量に虐殺された。植民地化された生々しい記録が、島西端のシロコ砦跡に展示されている。

数年前に訪問した頃、島の中心地の民族博物館内にあったものが、この戦争記念館に移設された。それでも原爆投下直後のヒロシマの巨大な写真が、植民地の終わりを告げて、会場の出口に配置されているのはおなじだった。独立の誇りがこめられている。

今回の旅はピースボート100回記念クルーズに乗船して、だった。シンガポール港に着く前、船内でサッカー服のうえから、日の丸の旗をはおって歩いていた若者たちがいた。乗客がたしなめたら、素直に応じたそうだ。

そのいでたちで「血債の塔」（日本占領時期死難人民記念碑）を見物に行ったとしたなら、と冷や汗が流れた。ピースボートは36年前、アジアへの侵略の跡を検証する旅として20代の若者たちがはじめた。戦争の歴史をたどり、犯した罪を自省する旅は、いつになっても大切だ。

あぁ、馬毛島

2019年1月15日

鹿児島県種子島から12キロほど海上、馬毛島《まげしま》に漁船で連れていってもらったのはいつだったかはっきりしない。使用済み核燃料の中間貯蔵所にされる、との噂《うわさ》があった頃だった。約8平方キロメートル。全島を一望に見渡せる渺《びょう》たる小島で、核物質など危険物の半永久的な貯蔵場にするのは土台ムリだった。

その頃、核燃料再処理工場の候補地の本命は、六ケ所村のはずだった。なのに徳之島や平戸島まで挙げる陽動作戦で、民心を混乱させるのは開発側の常套《じょうとう》作戦である。

馬毛島の高台に分厚いコンクリートで固められた海軍のトーチカがあった。やがて滑走路の工事がはじまった、との噂が流れてきた。米空母艦載機の「タッチ・アンド・ゴー」訓練に使われる、との話は、だいぶ前から流されていた。

新年あけに、やはり米軍の離着陸訓練地にすることで、政府と島を所有する会社とが、160億円。なんと115億円ものアップで合意したと報道された。無人島が1平方キロメートル当たり20億円の超高値である。たしかにトランプ氏に従う安倍内閣の兵器の爆買いは尋常の沙汰ではないが、この時代に自衛隊基地増強も異常といえる。

鹿児島の馬毛島、沖縄の辺野古・高江とあらたな米軍用軍事施設をつくり、さらに奄美大島、宮古島、石垣島にミサイル装備の自衛隊基地を配備。与那国にまで自衛隊基地。新年から大変だ。

「本土決戦」の悪夢

2019年1月22日

「再稼働をどんどんやるべきだ」。中西宏明経団連会長の進軍ラッパだ。

原発存廃の勝負はついた、あとは1日も早い終戦と撤退だ、とわたしは考えている。ところが日本財界の最高司令官は、まるでヤケのヤンパチ、玉砕覚悟の突撃命令だ。

そのすこし前、報道各社とのインタビューで、中西会長は「国民が反対する（原発）はつくれない」と仰《おっしゃ》っていた。福島原発事故のあと、厭戦《えんせん》気分が蔓延《まんえん》している市民と自治体にいらだち、こんどは、むりやり反対意見をねじ伏せたいようだ。

しかし世界をみてほしい。賢明なるドイツ政府はすでに急速な脱原発をすすめ、核からの脱却と自然エネルギーへの転換が、あらたな経済成長と希望の道となっている。

それにひきかえ、日本政府の原発輸出政策は、東芝、三菱重工業、日立製作所ともに軒並み採算がとれず敗退、破綻。中西氏が会長の日立はアラブ首長国連邦、リトアニア、台湾、そして英国と海外戦線で全滅。すでに勝敗はあきらかなのに、敗北の鬱憤《うっぷん》を国民への挑戦で突破するつもりか。

経団連会長の原発再稼働至上主義は、かつての軍部の戦闘至上主義を思い起こさせる。被爆地は疲弊し物質は欠乏。国民の戦意喪失は深い。それでも、どんどん往《ゆ》け、と兵士を戦地に送りこんだ。その無謀、無責任のＤＮＡが、財界指導者に残っているようだ。ついに本土決戦の悪夢か。

正直な政治

2019年1月29日

来月24日、沖縄の県民投票が行われる。辺野古新米軍基地建設に賛成か反対か。投票で決められる。自民党の影響力が強い、宜野湾市など五市の市長が県民投票に反対していた。それでは全県有権者の3割が参加できない、と懸念されていた。

県民投票を呼びかけた若者のハンガーストライキなどがあって、世論が動き、「賛成」「反対」のほか「どちらでもない」の一択を付ける、との妥協案で、無事に全県実施ができることになった。ほっとする想《おも》いである。

辺野古新基地は「世界一危険」な普天間飛行場の代替であり、沖縄の負担軽減、唯一の選択肢。これが安倍内閣の殺し文句。ところが、辺野古に軍港や弾薬庫などを備えた滑走路2本の新基地をつくる計画は、米軍に1966年からあった（真喜志好一ほか著『沖縄はもうだまされない』）。

辺野古に移設しなければ、普天間に固定化される、と安倍政権が宜野湾市長にいわせている。しかし、もともと米軍の安全基準にさえ達しない普天間は、運用停止か米国に引き取らせるべきだ。

これから県民投票にむけて官邸の攻勢が強まろうとしている。「正直、公正、謙虚で丁寧な政治をつくりたい」とは、石破茂氏の総裁選挙に臨んだ抱負の言葉だった。ところが、自民党内部から、それは安倍首相への個人攻撃だ、として封印させられた。あぁ、正直な政治がほしい。

「毒砂」

2019年2月5日

見知らぬ女性から1冊の本が送られてきた。なにげなく読みだして止まらなくなった。140ページほどの手記なのだが、著者は送り主の弟で、1年半前、死後数日たった遺体で発見されていた。タイトルは「毒砂」。著者の安西宏之さんは福島県庁に勤めていたが、原発事故後、定年を前に早期退職、自費で放射線測定器を購入、住んでいた郡山市内を憑《つ》かれたように測定して歩いた。この本は弟の遺志を継いで、昨年暮れ、姉が自費で出版した悲痛な記録である。安西さんは東西20数キロ、南北20数キロ、ほぼ市全域をひとりで歩いて測定していた。それらは発表・報道される各地のモニタリングポストの値とは無関係に、局所的に線量の高いところが無数にあった。

さらに風のような放射線の移動ばかりではなく、雨の跡など放射線量の高い、砂か苔《こけ》のような黒い物質を発見するようになった。

しかし、素人が調査結果を公表しても、解決策はない。「住民の不安を煽《あお》るだけ」との批判への対処ができない。基準以上の汚染地が多い。しかし、解決策がない。

このジレンマに苦しみ、夢に被曝者《ひばくしゃ》の顔があらわれ、眠れなくなった。「毒砂の存在を隠して帰還を奨励するこの国や県の無責任は必ず誰かが糾弾しなければならない」

巻末に著者が測定した地点と測定値が、16ページにわたって掲載されてある。

「毒砂」2

2019年2月19日

「毒砂」のタイトルの小冊子は、ひとりの男が測定器を片手に、敢然と福島県郡山市の放射線を踏査した記録である。県庁職員だった安西宏之氏が、フクシマのあと退職。「憑《つ》かれたように測定した」悲痛な記録、とこの欄(5日)で紹介した。

原発から40数キロ、それでも1・42マイクロシーベルトの地点もあった。調べれば調べるほど、汚染状況は深刻さを増す。ひとり、汚染に対峙《たいじ》する頼りなさと恐怖によって、安西さんは心身ともに衰弱して、独居の遺体で発見される。

「わたしらは侮辱のなかに生きています」との言葉を彼は引用している。それは大江健三郎さんが代々木公園での「さようなら原発全国集会」の発言に引用していた、中野重治の初期の作品『春さきの風』の女主人公の声だった。わたしと共通の読書体験が安西さんの篤実な人柄を共感させた。

「毒砂」とはなにか。「安西さんがここは(汚染が)高いところですよ、と言う場所はたしかに、黒っぽい不潔な泥――乾いていたり、湿っていたりしていましたが――がある場所でした。いわば吹き溜《だ》まりのような場所です。それを表現して毒砂とは、よくいったもの、と思います」

調査に同行した原子力資料情報室共同代表の山口幸夫さんの話。ご希望の方に郵送料180円で贈呈します。申し込みは特定非営利活動法人原子力資料情報室=電話03(6821)3211=へ。

トラの威を借りる

2019年2月26日

辺野古への米軍基地建設は反対。安倍内閣が「唯一の解決策」と主張する重要策に、沖縄県民投票が突きつけた72％の圧倒的な反対の声。安倍首相はどう聞いたのか。それでも無視するのか。

なにがあっても「史上最長政権」の記録樹立が政権維持の動機、かつ最大の欲望であるかのような、まるで迷惑な憲法感覚。祖父岸信介の遺恨・憲法改悪と軍事力強化への突進は、けっして支持されていない。

米軍基地の新設工事は、世界北限のジュゴンや豊かなサンゴ礁が成育する海を殺し、水深30メートルの海底の下、マヨネーズ状の軟弱地盤に、7万7000本もの巨大な砂杭《ぐい》を埋めて、なお完成するかどうか。経費は2兆5000億円以上。それもすべて日本のおもてなし予算。

アメリカの専門家でさえ、「在沖海兵隊は規模が小さすぎて戦略的価値はない」。「米本国に置くよりも駐留費が50から60％安いからだ」と明言している。

「海を潰《つぶ》し、自然の命を殺戮《さつりく》し、人間を殺すための軍事基地をつくる。これは人間の道を踏み外す、罰当たりの所業である」と私は投票前に、週刊誌に書いた。沖縄は日米安保と日米地位協定の最大犠牲者だ。沖縄いじめの首相が、その一方では米大統領のノーベル平和賞推薦の使い走り、ご機嫌とりに終始している。これは選挙民の屈辱だが、沖縄の抵抗運動に沈黙するのは、共犯だ、と思う。

九条俳句の勝利集会

2019年3月5日

公民館は敗戦後、日本の民主主義を、地域にひろめる社会教育の重要な施設として、全国的に開設された。いわば地域民主化の拠点である。

いまでも沖縄の石垣島などでは、自衛隊ミサイル基地の建設予定地にされた部落やその周辺の公民館の館長が、率先、反対運動にたちあがっている。地域を壊滅させる計画だから、地域の自治組織としての公民館が、反対運動の中心になるのは、けだし当然である。

ひるがえって、さいたま市の公民館で発生した俳句弾圧事件は、この安倍の暴政時代だからというべきか。「梅雨空に『九条守れ』の女性デモ」

この俳句に驚き慌てたのか。「公民館だより」に掲載不可の決定。市は編集権を盾に最高裁まで争って敗北、4年半たってようやく掲載された。

事件は東京新聞でもたびたび報道されたが、公務員が憲法九条遵守《じゅんしゅ》、表現の自由の抑圧者となってなお、市長も教育長もそれを支持した。「自治体」の退廃は、信じがたい。

俳句を支持する市民たちが、掲載を求める2万の署名を集め、「平和とは自由にものがいえること」「忖度《そんたく》に忖度かさねて戦争へ」など、自作の俳句を色紙に書いてスタンディング。この行動を前にしても、市の職員はちらしを受け取らなかったという。起《た》ちあがれ労働組合!

3日、東京で行われた集会に参加。言論をささえる市民運動を実感させられた。

責任について

2019年3月12日

「復興は着実に進んでいる」。三・一一大震災から8年目。菅官房長官談話だ。このあと「復興五輪」への拍車をかける合図だろうか。悲しみと怒りと苦しみがはじまったのは、地震と津波の被災だけではなく、翌日からの原発爆発事故によったのはいうまでもない。復興どころか、まだ膨大な地域が立ち入り禁止で、手つかずのままだ。

日曜日。都内でいくつかの三・一一集会。わたしも二つに参加して事故責任について話した。避難者は47万人。冬の寒い時期だった。もちろん、原発だけの責任ではない。しかし、入院先から放射能に追われて、緊急避難した60人以上が死亡した。それを思うだけでも心が凍る。

5万人がいまだ帰還できていないのは、原発事故発生源の東京電力の責任だ。危険物を利用して利益を上げようと謀《はか》り、人命や環境にばかりか、精神的にも大きなダメージを与えたのなら、その事業はやめるべきだ。電力は他の方法でいくらでもつくれるからだ。

国民の生活と人命を守るのが、政府の最大の任務だ。電力会社と結託して、人命と人権を危うくするのは憲法違反だ。「過ちを改めるのに憚《はばか》るなかれ」。東電の経営者が自分たちの罪と責任の大きさに恐懼《きょうく》したなら、率先、脱原発に踏み切るはずだ。それが罪の償いであり、謝罪だと思う。

恐怖の再稼働

2019年3月19日

昨年10月、インドネシアで墜落したばかりだった。米ボーイング社の最新鋭旅客機「737MAX」。同型機は、この10日にもエチオピアで墜落した。安全性が問題視され、世界各地で即座に運航停止された。が、米連邦航空局（FAA）の停止の決断は遅かった。

「ボ社とトランプ大統領の関係は非常に深い」からだった（「東京新聞」17日付）。

これを読んで「トランプよ、おまえもか」。ハタと膝をたたいたのは、大事故があってなお、平然と原発を推進するわが国の首相と原発メーカーとの「関係の深さ」に思いがおよんだからだ。

首相の率先外遊、世界への原発売り込みは結局、全敗に終わった。が、まだオリンピック開会式の晴れ舞台がある。いまなお続く原発被曝地や避難民の苦境には目をつぶり、事故にもめげず原発再稼働をすすめ、ひたすら「復興」と「帰還」を唱えるのは、「アンダーコントロール」ニッポンを演出したいからなのか。

「原子力村」として脚光を浴びた、茨城県東海村にある首都圏唯一の東海第二原発は、40年たった老朽原発。いま無謀にも再稼働を準備している。東京まで110キロ。水戸市など30キロ圏内には100万人が生活している。バラ色の夢を描いた東海第二原発は、オリンピックに花を添えるのか。

21日午後零時半、東京・代々木公園で「さようなら原発全国集会」がある。

脱原発ひろば

2019年3月26日

20日午前7時すぎ、淵上太郎さんは自力でトイレに行き、帰ってきてベッド下に倒れ込んだ。それでも帰り支度の訪問看護師に、いつものように手を振って挨拶した。そして息を引き取った。妻正子さんの証言である。76歳。末期胆道がんで闘病中だった。

淵上太郎が東京・霞が関の経済産業省前に、友人たちと突如としてテントを張ったのは、福島原発爆発事故から半年後、２０１１年9月11日だった。

それから強制撤去されるまでの丸五年、テントは脱原発のシンボルとして「原子力村の総本山」経産省の鼻先に立ちつづけた。座り込みはいまもつづけられている。

23日の土曜日、東海道線に面した、ある駅の近くの斎場で通夜があった。背広にネクタイ、野球帽の白鬚《ひげ》、およそ運動家らしくない、いつもの独自なスタイルで、彼はお棺に納まっていた。

すっきりした、やりきった表情で、安らかだった。念願の原発ゼロの日をついにみることはできなかった。が、あらかた決着が着いたことを、彼は知ることができた。

経産省前テントは、脱原発のひろばだった。廃炉作業もふくめて、どのようにして早く安全に、原発社会から脱却するか。経産省ばかりか、経団連とも日本の将来をめぐって話し合う。そんなひろばをつくって、死者たちの想《おも》いをひろげていきたい。

避難者の話

2019年4月2日

住民に避難訓練をさせながら、工場を稼働させる。そんな危険な工場はいやだ、と住民が反対しても、政府は無視して会社にハッパをかける。ひどい国の話のようだが、ほかならぬ日本の現実だ。避難途中に多くの病人が亡くなった。「原発事故さえなかったら」と書いて酪農家が自殺した。牧草地もウシも希望も奪われた。政府は犠牲を顧みない。まるで戦争だ。

福島原発事故から8年、避難者の生活はますます苦しくなっている。3月29日、福島県は東京の国家公務員住宅に住んでいる55世帯に、「3月末で退去」「退去しない場合は、家賃の2倍の損害金を請求する」と文書で通告した。

退去届の提出を強要され、心身に変調をきたしたひともいる。「4月1日で荷物とともに放り出されるのでは」と不安な気持ちで生活している。大熊町から避難してきたKさんは「県が貧困をつくりだしている」と批判した。彼女は避難指示区域からの避難者だが、区域外からの「自主避難者」は「勝手に逃げた」あつかいで、視線はさらに厳しい。

しかし、故郷を離れ、不安定な仕事について、誰が好きこのんで苦しい生活をしているのか。

国は原発を遮二無二すすめ、県はその方針に従って財政的に潤った。住民の人権を無視してきた政治責任は、キチンととるしかない。住宅の保障こそ、最大の人権擁護である。

政治家業の退廃

2019年4月9日

「私は麻生太郎命、一筋でやってきた。筋金入りの麻生派です……麻生派は渡世の義理だけで動いています」日の丸のハチ巻き。暴力団の舎弟のような口調で選挙集会を盛り上げた、塚田一郎国土交通副大臣は辞任した。安倍首相の山口県と麻生副首相の福岡県、この地元同士を結ぶ、関門海峡に架ける海中道路事業計画は、あまりに経費が巨額なために凍結されてきた。

ところが、２０１９年度予算で、この副大臣の「忖度《そんたく》」によって、直轄の調査計画に引き上げられたと自慢している。塚田氏が応援にいった福岡県知事選挙では、世論の反発から麻生派の敗北に終わった。それは当然だとしても、これから森友学園、加計学園につぐ、利益誘導の「安倍麻生橋」建設は、挫折して、悪夢の安倍政権の終わりとなるかどうか。

わたしは37年前に取材した、新潟県元知事・塚田十一郎氏のことを思い出した。その五男がいま政治家になって、親とおなじようにスキャンダルに塗《まみ》れるとは思わなかった。

十一郎氏は郵政大臣、自民党政調会長などを歴任、八期連続当選のあと、県知事に転出した。ところが知事二期目に選挙違反容疑で辞任。再婚問題、参院選に立候補して莫大《ばくだい》な借金を抱えての金策など、週刊誌の話題になっていた。

前夫人との息子も元衆院議員、そして五男の一郎氏も衆院議員。核武装。原発推進。憲法改悪。阿諛追従《あゆついしょう》、無定見でも自民党なら当選できる。これが利益誘導政治の根源である。

偽装の官民一体

2019年4月16日

「メード・イン・ジャパン」。ドイツ製と並ぶほどに安定的な品質を誇ってきた日本ブランドも、ついに斜陽なのか。三菱自動車、日産自動車、スバルなどの燃費や検査の不正の発覚につづいて、スズキの200万台もリコールと決まった。

ブレーキやハンドル検査は、安全性つまりは人命に関わるもっとも重要な工程だが、ここが人員削減、手抜きされているのは儲《もう》けファースト、事故が発生しても構わない思想のあらわれだ。

人間の命を守る住宅でも、レオパレス21につづいて、最大手の大和ハウスが販売した賃貸アパート、一戸建て2000棟で、建築基準法違反の恐れが発覚した。これも人命尊重より儲け主義のあらわれである。企業内に人間尊重の思想と教養、そしてそれを守るチェック機能、たとえば労働組合がない。

国際競争に勝ち抜くための、社内に横行する非民主主義的風潮が社員を萎縮させ、国際競争から脱落させる。「日の丸液晶」といわれた、官民挙げてのジャパンディスプレイ（JDI）の経営が悪化、中国と台湾資本の傘下入り。日本製商品斜陽の象徴か。

「アベノミクス」とは、社内の検査、統計などの改竄《かいざん》とおなじ、官庁の公文書書き換えそのものだ。政治も経済も、官民一体となった偽装主義は、自分は「森羅万象すべてを担当する」などと豪語する、極端な思い上り首相の長期政権を許している、われわれ有権者の責任も大きい。

壮大なゼロ政治

2019年4月23日

結局、安倍首相は沖縄へでかけなかった。衆議院補欠選挙で、日本維新の会に敗北した大阪12区には、自公候補の応援に行った。が、辺野古米軍基地建設にたいして抵抗運動の強い、名護市をふくむ沖縄3区へ出むいて、「真摯《しんし》に」選挙民を説得する勇気を示すことはなかった。

辺野古基地建設を強行する安倍内閣が推す候補は、翁長雄志《おながたけし》知事、玉城デニー知事に連続して敗北。今年2月の県民投票での「辺野古ノー」の民意についで、今回の選挙でも完全敗北となった。

これだけの反対を受けても政策を変えないのは、もはや判断できない、「病膏肓《こうこう》に入る」の状態、もしくは独自に意思決定できない米従属状態、あるいはその複合体、としか考えられない。

安倍首相は、「世界一危険な」普天間米軍海兵隊飛行場をこのまま認めるか、それとも、辺野古に新基地を建設させるのか、と沖縄県民に詰めよっている。しかし、敵陣に突進する海兵隊を太平洋地域に展開するのは、戦略的価値はないというのが、1990年代海兵隊本部の結論のはずだ。

危機を煽《あお》って政治をすすめるのは、独裁者のやりかただ。

総工費2兆5500億円以上。それだけかけても完成するかどうかわからない。ドブにカネを捨てる。珊瑚《さんご》の海をドブにする罪深い工事だ。戦時中の戦艦大和、戦後の原子力船「むつ」。さらに、夢の増殖炉「もんじゅ」。六ケ所村の核燃料再処理工場。それらと並ぶ天下の愚挙だ。

『労働者』の夢

2019年4月30日

47年間、ひとりで発行されつづけてきた個人誌『労働者』が送られてきた。最終号という。「第一部の出発点で、鎌田さんが『労働情報』創刊号に熱い期待と激励のお言葉を載せて下さったのです。その時予定は7000枚でしたが、1万4000枚に……」

個人誌の扉の前に挟まれた、畑中康雄さんの手書きの手紙を読んで、わたしは思わず「あぁぁ」と声をあげた。1万4000枚！　炭鉱労働者の記録を残そう、という執念が書かせてきたのだ。

畑中さんは北海道歌志内《うたしない》市の土木労働者から出発して、芦別の三井炭鉱で掘進夫として働き、そこが閉山になってから東京に出てきて、自動車工場で働いていた。ある雑誌で自動車工場の労働状態について対談して、知り合った。石炭はいま地球温暖化の元凶とされ、批判の的だ。が、しかし、地底で働いていた膨大なひとびとの生き死には、さっぱり忘れ去られている。

「ぼくは炭鉱の遺産で、何が一番重要であり必要であるかと問われれば、ためらうことなく、労働者の闘いである、と答える。さらに言えば、労働組合に指導されたものではなく、労働者の独創的な、会議を前提とした自主的な闘いである。炭鉱労働者はまだ萌芽の段階とはいえ、それを確実に残した。これを丁寧に記録し、後世に残すこと。これがぼくが到達した炭鉱の遺産である」

ひとりの炭鉱労働者の遺言と言うべきか。

名前のない死者たち

2019年5月14日

毎年6月30日、秋田県大館市の花岡鉱山で戦時中に虐殺された、中国人労働者の慰霊式が行われる。あまりの虐待に耐えきれず、蜂起、抵抗した「中国殉難烈士慰霊之碑」の前で、来日した遺族が供養し市民が献花する。

その遺族たちが帰途、栃木県益子町の「朝露館《ちょうろかん》」まで足を延ばし、犠牲者の名前を刻んだ陶板に指で触れて帰国する、と補償運動を担当した内田雅敏弁護士から聞いていたので、連休中に一緒に訪問した。

新緑が輝く雑木林のなかの質素な平屋建てが、陶芸家・関谷興仁《せきやこうじん》氏の30年にわたる作品の展示館だ。骨片のような長さ6センチ、幅1・5センチほどの、白字で彫られた陶製の名札が、壁いっぱい、天井に至るまで嵌《は》め込まれていて、圧倒される。

日本に強制連行された4万人の名前だが「悼《とう》不明」という名前のない白字の列が悲しい。「殺サレタモノタチハ眠レナイ。ドウシテ眠レヨウカ」と彫られた文字もある。

加害者日本人のひとりの陶芸家がこつこつ、被害者の名前を彫り込んでいる背中がみえる。展示されているのは花岡鉱山の死者ばかりではない。

「『大君』のために　強盗の戦争に出かけ　撃たれ　千切《ちぎ》れ　飢え　病み　一片の骨になった　あなた方がいます」。お連れ合いの石川逸子さんの詩「千鳥ヶ淵へ行きましたか」の一節もある。

好戦と反軍

2019年5月21日

丸山議員というと、自民党にも同姓の国会議員がいて抗議が殺到、困惑しているそうだ。それでホダカ議員としておくが、ついにこんなすっとんきょうな戦争鼓吹の若ものがあらわれたのか、と不安を感じさせられた。

ビザなし交流で北方四島のひとつ、国後島に行き、こともあろうに戦争の苦難を一身に背負った元島民にむかって「戦争しないとどうしようもなくないですか」とけしかけた。国会議員三期目。公認した日本維新の会と支持者の見識まで問われる言動だ。

選挙が近いこともあってか、日本維新の会はさっそく除名処分で切り捨て、議員辞職も求めたが拒否された。それで他の野党を巻き込み「辞職勧告決議案」を提出した。

しかし、刑事事件ならいざしらず、憲法違反の暴論だとしても（暴論は現内閣が率先実行している）、言論によって身分を剝奪していいかどうか。

斎藤隆夫を思い起こそう。彼は治安維持法に反対し、「聖戦の美名」を告発し、日中戦争にたいする反軍演説によって、1940年3月、衆議院において議員除名処分。政治家としての見識と信念、時代にたいする責任感。ホダカ議員とはまったく対極。人間的にも月とスッポンのちがいである。

キミの暴論は絶対に許せない。しかしキミが発言する場は保障しよう。ヴォルテール流にいこう。でなければ、斎藤隆夫の演説を弾圧したファッショとおなじ轍《てつ》を踏むことになる。

滅びたものの記憶

2019年5月28日

地球温暖化の張本人として、石炭はすっかり嫌われものになってしまった。かつては「産業のコメ」とされ、近代産業を牽引《けんいん》した動力源であり、縁の下の力持ちだった。が、いま日本にある炭鉱は北海道の釧路コールマイン1社だけ。社員は300人ほど。かつてを知るものは感無量である。

もうひとつの世界ともいうべき、暗闇の坑底での労働の姿と働くひとびとの生活を描いたのが、山本作兵衛である。一生に描いた絵は2000点ともいわれている。真っ暗な坑底で働くひとびとは、カンテラのかぼそい光を受けているだけなのだが、それでも豪華《ごうか》絢爛《けんらん》、まばゆい光を放っている。

最初この絵をみたとき、そこに脈打っている労働者の自信と矜持《きょうじ》にうたれたのだが、いま東京・東中野で上映されているドキュメンタリー映画『作兵衛さんと日本を掘る』（熊谷博子《くまがいひろこ》監督）は、卓抜なカメラワークとインタビューで、その独自の世界を再現している。

国内ではほぼ絶滅した炭鉱労働者の生と死、喜怒哀楽。それは筑豊にいて書きつづけてきた上野《うえの》英信《えいしん》によって記録された。作兵衛さんの絵はユネスコ世界記憶遺産になったのだが、上野さんの記録もそれと並び立つ価値がある。

先日、ご子息の上野朱《あかし》さん、写真家本橋成一《もとはしせいいち》さんとの3人で、上野英信について語る会があった。産業が消え、人びとが去っても、記憶は遺《のこ》る。

天安門事件三十年

2019年6月4日

6月4日。天安門事件から30年。戦車隊の侵攻の前にひとり立ち塞がり、ピタリと戦車を止めた若者の残像は、いまなお鮮明だ。最近出版された及川淳子《おいかわじゅんこ》著『11通の手紙』に付けられた、笠原清志《かさはらきよし》氏の解説によれば、彼のその後の消息は、処刑されたとも、天津の刑務所に名前も罪名も明らかにされず、幽閉されているとも伝えられている、という。

言論の自由を求めてたちあがった学生たちが、人民解放軍に銃撃によって鎮圧されるとは、ほとんどの人たちに想像できなかった。学生たちはほんのすこしの自由を求めただけだったのだ。

それから30年がたって、中国の1人当たりの名目GDP（国内総生産）は30倍近くになった。民主化を弾圧したから驚異の躍進になったのか、経済的な発展が人間の自由の代償になるのか。日本も恩恵を受けている中国経済の発展と未来をどう考えるのか。

『11通の手紙』はあの日、天安門広場にいた人びとの想《おも》いを巫女《みこ》のように静かに語った作品である。最終章は米国の研究員だったが、天安門に駆けつけ戒厳部隊との交渉に当たって逮捕拘禁。その後も闘い続けてノーベル平和賞を受賞し、獄死した劉暁波《りゅうぎょうは》から妻劉霞《りゅうか》への手紙の形式をとっている。

人びとの想いをよく掬《すく》いあげた美しい文章で、悲劇が多角的に描かれている。2月に101歳で死去した毛沢東《もうたくとう》の元秘書・李鋭《りえい》のコメントもある。

原発・カネ食い虫

2019年6月11日

毎年のように完工日を繰り延べして、計画時から35年、工事が始まってから26年がたった。それでもさっぱり完成の見通しがたっていない。建設費は当初、7600億円と見込まれたが、いまは4倍ちかくの2兆9000億円。最近は2021年完成といっているが、誰も信じていない。

ウランを使っても使っても減らない「夢の核燃料サイクル」などと、人びとをけむに巻いていた、六ケ所村（青森県）の使用済み核燃料再処理工場の話だ。プルトニウム燃料をつくりだす高速増殖炉「もんじゅ」は頓挫、廃炉となったので、再処理工場の必要性はさらに弱まっている。

バルセロナのサグラダ・ファミリアであるまいし、26年たっても完成しない工場など、ブラックユーモアというしかない。絵に描いた餅「核燃料再処理工場」は、虚妄の原子力政策の中心だから、原発を維持するためには無駄に資金を費消しても（消費者が支払う電力料金だが）、絶対維持しなければならない神話なのだ。

再処理工場が稼働しないために、原発各社は再処理がはじまるまで、使用済み燃料を「適切に貯蔵・管理」を義務づけられ、サイト内のプールに収容している。それも満杯に近づいている。関西電力、九州電力などは、プルトニウム・ウラン混合酸化物（ＭＯＸ）燃料をあつかう、第二再処理工場事業費の電気料金転嫁をはじめた。経費は11兆7000億円以上という。

空間識失調内閣

2019年6月18日

小学生になる頃、「ルーズベルト米大統領が死んだ」と言いふらして得意がっていた。こましゃくれたガキだった。幼稚園では日米戦闘機の空中戦の図画をさかんに描いた。軍国教育の成果だ。

1機140～116億円のステルス戦闘機F35Aを105機、改造した空母に搭載する垂直着陸機F35Bを42機、計147機、トランプ大統領に売りつけられて購入を閣議決定。

真っ黒な視えない機体の空中戦をどう描くのか。いや、これから、空中戦などあるのかどうか。

4月9日、航空自衛隊三沢基地を飛び立ち、時速1100キロで太平洋に突入したF35Aの操縦士は41歳、総飛行時間3200時間の大ベテランだった。

遺体もフライトレコーダーの記録媒体も発見されないうちに、防衛省は「機体には異常なし」「空間識失調の可能性」「訓練は再開する」と発表した。空間識失調とは、機体の位置や姿勢を把握できなくなる状態をいう。

「F35は緊急回復装置（通称パニックボタン）を装備している。スイッチを押すだけで機体を自動的に安定した水平飛行にもどす仕組みだが、自衛隊は着陸時のリスクなどを考慮して導入していない」（東奥日報）。これからトランプから買うのはイージス・アショア2基5000億円、オスプレイ17機など維持整備費を含めて数兆円。戦争に突入する、空間識失調内閣だ。

沖縄の問いかけ

2019年6月25日

「青くきれいな海　この海は　どんな景色を見たのだろうか」

沖縄「慰霊の日」に問いかけた糸満市の小学6年・山内玲奈さんの詩（「東京新聞」24日付）は胸を衝《つ》く。沖縄の青い海と空と緑の大地を誇りに思いつつ、自然に恵まれた島を襲った、74年前の「鉄の暴風」。その戦争の残虐さを、昨年亡くなった祖父からは聞くことはできなかった。「悲しい記憶を思い出させるのはかわいそう」と思ったからだ。

本土に住む首相や大臣、そしてわたしたちも、戦争の悲惨は沖縄だけではない。本土もおなじ苦難だった。原爆もあったといいがちだ。しかし、米国の軍政から念願の日本復帰をはたして47年。それでも日本国土の0・6％に70・3％もの米軍基地が集中配備されている。これは差別だ。

辺野古のジュゴンが来る青い海に、今日も遠慮会釈なく大量の土砂が投入されている。東村《ひがしそん》の「やんばるの森」は刈り倒され、コンクリートのオスプレイ発着場にされた。県民の大多数がどれだけ嫌だといっても、首相は「基地負担の軽減だ」と嘯《うそぶ》く。

この暴政の傍観者でいるのは心苦しい。

「『辺野古』県民投票の会」の元山仁士郎《もとやまじんしろう》さんは、住んでいる国立市議会へ陳情書を提出した。辺野古新基地建設中止と普天間飛行場の運用停止を求める意見書を、国に提出させる要請運動だ。各地でやろう。

「真昼の暗黒」

2019年7月2日

92歳。原口アヤ子さんの40年にわたる無実の訴えを、最高裁は棄却した。地裁、高裁で3度も再審開始を決定した大崎事件。彼女が生きる希望を押しつぶしたのだ。

親族の自白や目撃供述の「変遷などに関して問題があることを考慮しても、信用性は相応に強固だ」（最高裁決定要旨）。

10年の懲役刑をささえた自白や目撃証言に変遷が多い、ということこそ冤罪《えんざい》の可能性が高い。その問題があることを考慮しても「信用性は相応に強固だ」という。「相応」は「程よく」とか「まあまあ」程度の意味合いだ。こんな曖昧模糊《もこ》たる表現に依拠して、ひとを犯罪者にしていいのか。

被害者は酔っ払って自転車に乗ったまま側溝に転落、大怪我《けが》を負っていた。3日後、自宅横の牛小屋で遺体となって発見された。犯罪のストーリーは親族の自供だけ。首を絞めたという肝心のタオルは発見されず、本人は1度も認めていない。

事件直後、死体を解剖した医師は、自転車事故のことは聞かされていなかった。転落状況によっては、遺体に認められる損傷を生じさせた可能性を否定できない、と二審で証言した。

「殺人事件」は本当にあったのか。

「おっかさん。まだ最高裁があるんだ！」。八海事件の阿藤周平役の俳優が、獄中で叫ぶ『真昼の暗黒』のラストシーン。あの頃、最高裁は希望だった。いまは地に堕《お》ちた。

ゲート前の人びと

2019年7月9日

ひさしぶりに、辺野古キャンプ・シュワブのゲート前に行った。その日、県庁前から出るバスは沖縄平和市民連絡会の運行だった。このほかにも「島ぐるみ会議」が、ゲート前に座り込むひとたちを運んでいる。

顔なじみの人たちが多く、バスのなかは和気あいあいとしている。毎日のようにきている上間芳子さん、大城博子さんなどには頭が下がる。東京からやってくる原田隆二さんは、50年ほど前、青森県三沢米軍基地ゲート前にあった、米兵相手の反戦バーで会って以来の友人である。

ゲート前にいると、北上田毅さんが姿をあらわした。それで彼のクルマで名護市安和の琉球セメント桟橋前に連れていってもらった。各地で反公害闘争が激しかった60年代後半、京都大の学生だった彼は「月刊地域闘争」の編集長だった。卒業してから京都市に土木技術者として就職した。

防衛省による辺野古の海の虐殺、土砂搬入はキャンプ・シュワブゲートからのダンプと琉球セメント桟橋から船で行われている。さらに本部港塩川地区での土砂搬入現場と、ピケを張る場所がふえている。白昼公然と海に赤土が投入されるなど、信じがたい環境破壊は、日米政府の蛮行だ。

排除されても排除されても、市民のピケが毎日つづけられているのは、確固たる楽観があるからだ。やがて埋め立て工事は、90メートルの最深部にのみ込まれて、破綻する。

選挙の結果を見て

2019年7月23日

消費税増税、年金制度崩壊。若者と高齢者の生活不安は将来に暗い影を落とし、閉塞《へいそく》感は強まっている。「安定した政治」を言い募る、安倍政権からの転換をはたす選挙結果とはならなかった。「元来日本人には理想なく強きものに従ひその日その日を気楽に送ることを第一となすなり」。永井荷風の『断腸亭日乗』の一節（1941年6月15日）だが、まさに破滅へむかう戦争前夜にもかかわらず、気楽な生活とはなんだったのか。

荷風はその5カ月後、つまり真珠湾攻撃の1カ月前、「美名の下にかくれて不義を行ふは今や天下の通弊となれり」とも書きつけている。いまの「日米同盟強化」が、はたして美名かどうかは別にしても、米国の戦争に引き込まれる前に、経済的破綻に襲われかねない。

オスプレイ、F35戦闘機、イージス・アショアなど、技術的に不安定な米製兵器をバカ買いし、配備するミサイルや維持整備費をふくめると数兆円に達する。わが首相はかの国では「トランペット（トランプのペット）」の愛称をもつそうだ。

が、自公維でも3分の2の議席を確保できず、憲法改悪の野望には待ったがかかった。つぎの選挙にむけてこれから野党共闘をどう強めていくのか。その道筋は困難だが、いのちを護《まも》るためには、いまの憲法を大事にする運動をさらにひろげるしかない。それが今回選挙の教訓だ。

70年前の共謀罪

2019年7月30日

31日、東京高裁は重大事件の決定を出す。「三鷹事件」の確定死刑囚・竹内景助さん遺族の死後再審請求を認めるかどうか。事件発生から70年がたっている。

1949年7月、国鉄（現JR）三鷹駅で無人電車が暴走、民家に激突して6名が死亡。9日前には国鉄総裁・下山定則が線路上の轢断《れきだん》死体で発見され、1カ月後に東北線・松川駅近くで列車脱線転覆事件が発生。国鉄だけで10万人の解雇が強行された。米軍占領下で怪事件が発生していた。

「5人も子どもがいて、それに子煩悩でしたから、あんな犯罪、起こすわけないですよ」。6歳のとき突然、父親が逮捕され、それ以来生き別れとなった長男の健一郎さん（76）がつぶやいた。

肺がんの手術を受けたせいか、声はかすれて聞き取りにくい。8歳の姉、4歳の妹、2歳の妹、生まれたばかりの弟。5人の子どもを抱えて母親の政《まさ》さんは袋張りなどの内職で餬口《ここう》を凌《しの》いだ。

同僚など10人が逮捕されたが、共同謀議、共同犯行は「空中楼閣」と判定。景助さんひとりが有罪とされ、最高裁で死刑が確定した。無実を訴えながらも、12年後、45歳で獄中死。妻に残した最後の言葉は、「くやしいよ」だった。

再審請求審で目撃証言はデッチ上げ、列車の暴走は単独犯では無理と証明された。裁判官を信じられる決定を期待している。

労組壊滅作戦

2019年8月6日

「反社会的組織」といえば、主に右翼暴力団を指す。が、この言い方が拡大されると、権力の暴力化が進みかねない。

いま、近畿地方でひろがっている、労働運動にたいする差別者集団からの悪罵と暴力的な攻撃を、警察がなんら取り締まっていない。むしろ逆に、レイシストに呼応するかのように、労働組合員たちを威力業務妨害、恐喝未遂、強要未遂などの容疑で大量に逮捕している。

全日本建設運輸連帯労働組合の「関西地区生コン支部」への刑事弾圧の話だ。起訴された組合員は54人、労組幹部は1年におよぶ長期勾留である。関西の事件なので、全国的には伝えられていない。正社員化要求を「不当な要求」などと、まるで暴力団のように書いた記者もいる。

しかし、ストライキを威力業務妨害とするのは、憲法二八条（団結権）違反である。労働組合法には、労働者の地位向上などを目的とした正当な行為は罰しない、と規定されている。報道する側の人権意識が問われている。

わたしは10代のとき、労組結成を嫌悪した経営者から、会社の偽装閉鎖（ロックアウト）攻撃をかけられ、75日間の職場占領闘争で撤回させた経験がある。この時代の民主化の力は、警察の労働運動への干渉を抑制していた。大阪、京都の両府警、滋賀県警の労組攻撃は、民主主義の基盤への破壊作戦である。

アンダーコントロール

2019年8月20日

酷暑のなか、甲子園の熱戦がつづけられている。1年後は、オリンピック騒ぎが世の中を圧倒するのか、と思うとそぞろ気が重い。

「原発はアンダーコントロール」と安倍晋三首相が見得《みえ》を切ってライバル国を排除、オリンピックを日本に誘致したのは周知の通り。が、しかし、8年たってもいまだに原子炉の底を破ったデブリを冷やしていて、汚染水の発生は1日150トン。

なにを隠そう。この国はいまなお「原子力緊急事態宣言」発令下にある。とすると、緊急事態宣言下で、世紀の祭典オリンピックが開催される珍事になる。参加者に通知しなくていいのか。

一方では原子力災害の拡大防止を図るために、住民に避難を強制する指示をだし、一方では「アンダーコントロール」と胸を張ってオリンピックを開催する。これはどう考えてもヘンだ。

解決策は「帰還困難区域」からの避難指示を解除することだ。危険を感じた住民は解除されてもなかなか帰還しないが、とにかく帰らせる。

もう一つは、テロにも耐えられる「特定重大事故等対処施設」の完成が間に合わない原発は、運転停止にする。この施設が本当に安全を保障するかは別にしても、とにかく九州電力川内原発の一、二号機はオリンピック開始前に止まりそうだ。

それでふたたび「アンダーコントロール」を豪語するのだろうか。

父子二代の雪冤行脚

2019年8月27日

「誤判わが怒りを天に雪つぶて」。

獄中でやり場のない怒りと悲しみに身悶《みもだ》えしていた西武雄死刑囚は、やっていないのだから処刑されることはないと信じていた。教誨師《きょうかいし》として面接しているうちに冤罪《えんざい》を確信した、古川泰龍の著書『叫びたし寒満月の割れるほど』（法蔵館）のタイトルも、西武雄の無念の句である。

戦後の1947年5月、福岡市で起きた強盗殺人事件。被害者2人のうち1人の衣料商が戦勝国・中国華僑の重鎮だったこともあってか、裁判は拙速だった。砂川事件裁判などと同様、米軍占領下の裁判では戦勝国に迎合的だった。否認の西に死刑宣告。

中国人を誤射した石井健治郎とは会ったこともないのに、主犯として処刑（75年6月）された。石井は殺害を認めていたので、その日に恩赦を受け無期懲役に減刑、明暗を分けた（89年仮釈放）。旅館の経営を放りだして古川泰龍は、63年から雪冤《せつえん》の行脚に出る。網代笠に僧衣草鞋《わらじ》の托鉢《たくはつ》姿。お会いしたのは69年だった。2000年8月、80歳で他界したあと、わたしは熊本市のシュバイツァー寺を継いだ龍樹さん（59）など家族を訪問した。

父親は手弁当の運動に殉じた。長男の龍樹さんがそれを引き受け、家族一丸となって再審運動をつづけている。「本人や遺族が亡くなっても、弁護士会や第三者でも再審請求できるような法に改正したい」と龍樹さんは全国を駆けまわっている。

あさこはうす

2019年9月3日

ひさしぶりに「あさこはうす」へ行った。青森県下北半島の先端、大間崎にあるログハウスである。薄曇りだったが、津軽海峡のむこうに、函館山がくっきり見えた。

あさこはうすは、故熊谷あさ子さんが、自分の畑に建てた原発拒否の館である。彼女は死ぬまで畑を電源開発に売らなかった。「1基でいいのですから、ご協力を」と二代にわたって、電源開発の社長が畑に足を運んで説得に来た。が、彼女は首を縦に振らなかった。結局、原発の設計を変え、200メートル先に移動した。

夫と太平洋側の海にまで、魚を追って漁をしていたあさ子さんの持論は、「海と畑があれば生きていける。海と畑がなくなれば、生きていけない」というシンプルなものだった。

まわりの土地はすべて買収され、あさこはうすへむかう細い道は、両側ともフェンスで囲まれて窮屈《きゅうくつ》だ。入り口には小屋があって、電源開発に雇われたガードマンが四六時中、来客を監視している。

用地買収のために大金を持ち歩いていたふたり組による、自作自演の強盗事件などもあった。気丈夫な娘の厚子さんが、あさこはうすを守っている。ハーブを栽培し、犬やヤギと一緒に暮らしている。「ここは天国だけど、むこうは地獄だね」と厚子さんは立ち腐れの原発に目をむけた。

9月16日。代々木公園「さようなら原発全国集会」。厚子さんはいつものように娘奈々子さんと参加、出店で大間特産のコンブやワカメを販売する。

お手盛り会議

2019年9月10日

沖縄の海を潰《つぶ》して、米軍の新基地が暴力的に建設されている。辺野古の光景は米国に従属している日本の卑屈な姿と本土に踏みつけられる沖縄の苦悶《くもん》を、陰惨《いんさん》な1枚の絵にして見せつけている。

滑走路の建設予定地の海底はマヨネーズ状態。最深部は90メートルまで達する事実があきらかになった。とにかく、7万7000本もの巨大な砂の杭を打ちこみ地盤を固める。海の虐殺工事である。さらに活断層の存在も懸念されている。防衛省は工事を権威づけるための「有識者会議」を組織した。

委員長は清宮理早稲田大学名誉教授。運輸省(現国土交通省)の港湾空港技術研究所勤務のあと、2016年からジェコス取締役に就任している。ジェコスは日本製鉄に次ぐ鉄鋼会社JFEの系列で、仮設鋼材の販売・賃貸会社。辺野古の土木、港湾建設は総工費2兆5500億円、あるいは青天井とされ、工期も13年という。この大工事と関係が深い。

渡部要一委員も同研究所出身で、宮田喜壽委員は防衛大教授。委員長が工事関連業界の重役、脇を固める委員が工事を進める国側のOB。防衛省関係者まで入っている。平和と環境についてだれが発言できるのか。

水俣病の原因究明を「中和」した、清浦雷作東京工業大学教授の「有毒アミン説」の例もある。原発推進学者もそうだが、有識者さん、学問で環境を破壊しないでください。

外国人技能実習生

2019年9月17日

「我が国が先進国としての役割を果たしつつ……開発途上国等の経済発展を担う『人づくり』に協力する」との名目ではじめられたのが、外国人技能実習制度。1993年だった。

そのすこし前から、日本に「縁故のある」日系ブラジル人が大量に入ってきていた。が、アジア各地からの「研修生」「実習生」の導入制度は、「おためごかし」そのものだった。植民地時代の徴用工使役の記憶が、経営者や政治家たちに残っていたのであろう。

たしかに海外進出企業が現地工場むけに採用した研修生が、祖国に帰り現場で指導的な役割を果たしている姿をわたしもみてはいる。が、それはほんの少数の例で、大方は「技能実習」とは名ばかり。単純重労働に目いっぱい酷使され、おまけに最低賃金以下の低賃金で使い捨ての「現代の徴用工」。1年間の失踪者が9000人(2018年)もいる。

夢を抱いて日本にやってきたのに、12年から17年までの6年間で労災死、病死、自殺者が171人に達している。技能教育などどこ吹く風、労働基準法無視の奴隷労働だったことを推測させる。

9月上旬、ベトナム人技能実習生3人が、福島地裁郡山支部に損害賠償請求訴訟を起こした。型枠、鉄筋工事研修の名目で来日したのだが、福島県郡山市内での除染作業ばかりか、避難指示が解除される前の浪江町でも、下水管敷設に従事させられていた。除染作業や廃炉作業は契約外。被曝《ひばく》させた労働者を海外に送り返すのは、あまりにも反道徳的だ。

奴隷の言葉

2019年9月24日

19日の東京電力元幹部3人への東京地裁の無罪判決について、遅ればせながら書いておきたい。

政府と電力会社は原発を、「未来」「クリーン」「安全」とカネやタイコで煽《あお》ってきた。判決「結語」は「本件事故の結果は誠に重大で取り返しのつかないもの」と言いつつ、こう言う。法令上の規制や国の指針、安全基準では「絶対的安全性の確保までを前提にしていなかった」。だから事故の「予見可能性の有無にかかわらず、当然に刑事責任を負うということにはならない」。

これでは尻抜け、なんの突っ張りにもならない。1992年10月、伊方原発の設置許可の取消しをもとめる訴訟にたいする最高裁判決では「災害が万が一にも起きないようにするため」「内閣総理大臣の合理的判断にゆだねる」としている。このときすでに事故は「深刻な被害を引き起すおそれがある」と指摘されていた。

しかし、東京地裁判決は「絶対的な安全は求めない」という。また「重大で取り返しのつかない」事故が起きても「刑事責任を負うことにはならない」。なぜか。「発電所の運転には小さくない社会的有用性が認められ」る。だから「結果の重大性を強調するあまり」原発の設置、運転に携わる者に「不可能を強いる」な、と。

見事なまでの奴隷の言葉だ。「私たちの社会はなぜこのような判決を生みだしたのか」(武藤類子原発告訴団長)。あぁ、この化け物を裁ける者はどこにもいないのか。

原子力汚染金

2019年10月1日

驚き、である。まるでアベコベ。企業から自治体の有力者がカネをもらうのはいいといわないが、珍しいことではない。その逆に、大会社の社長が、元助役からカネをもらっていたとは情けない。関西電力といえば、原発大事故で失墜した東京電力に次ぐ大電力会社。その歴代の会長や社長が、長年にわたって、原発立地町側から金品を受け取っていた、とは想像に絶するスキャンダルだ。

「地域にカネを落とし、それを吸い上げるという原発政策の醜い形が露骨に表れた」(「毎日新聞」9月28日朝刊)とわたしはコメントした。原発着工日まで、各電力会社は地元有力者を飲ませ食わせ、あらゆる便宜を図って籠絡してきた。が、しかし、いまはバックペイ。貧すれば鈍す。原発時代の終わりを飾るエピソードだ。

38年前、福井県高浜原発へ取材に行ったとき、「公開ヒアリング」が終わったばかりなのに、もう3、4号機の建設工事がはじまっていた。増設工事をめぐって、町長が九億円の「協力金」を受け取り、1年以上、個人名義の通帳に入れていた。住民監査請求がなされたが、監査委員は関電出身者。そんな不明朗な癒着の話は、原発地帯にゴロゴロ転がっていた。

わたしは70年代初めから、原発建設地をまわって、「カネと命の交換会社」とか「カネは一代放射能は末代」などと書いている(『日本の原発地帯』1982年刊)。それ以来、電力会社と行政と政治家は「金子力発電」のカネをばらまき、地域と人心を汚染してきた。

一強の腐敗

2019年10月8日

それでも辞めない関西電力幹部の腐敗。この事件で知らされたのは、八木誠会長が読売テレビ放送の社外監査役、岩根茂樹社長がテレビ大阪の社外取締役を兼任していた事実だ。

かつて商社マンからＮＨＫ会長に就任した籾井勝人氏が「政府が右というのにわれわれは左というわけにいかない」と彼の放送事業の哲学を一言で言いのけて驚嘆させた。が、もっとも危険な原発を抱える電力会社の会長・社長らが、テレビ局で睨《にら》みを利かせていたのだ。

さらに彼らは仕事を与えて還流してきた仕立券で、50万円のスーツを着て歩いていたようなのだ。それらの悪弊は、いまさらはじまったのではない。福井県高浜町の森山栄治元助役は、関電役員ばかりか、その子会社役員にも商品券を配って、彼が顧問を引き受けている会社の発注を増大させていた。

先週は、高浜町長が関電から9億円の「協力金」を受領していたと書いたが、町長は退任後、関電子会社の役員を長く務めた。自治体を汚染した原発の魔力は果てしない。

「金品」は関電の原子力事業本部ばかりか、送配電部門、京都支社にまでおよぶ。九電力体制とは（沖縄を除く）、完全地域独占体制である。原発が使った経費は（マスコミでの宣伝費や学者文化人への高額な謝礼まで）すべて電力料金に上乗せされてきた。この暴政は改憲を目指す、安倍一強腐敗政治を思わせる。

恩赦55万人に思う

2019年10月22日

本日、政府が行う「恩赦」の対象者は55万人。1990年恩赦の250万からは減ったが、いまだに大盤振る舞いだ。

対象者は道路交通法違反、過失運転致死傷などで、罰金を払った人の復権が中心という。選挙違反など、公民権停止になった人たちもふくまれ、選挙に強い政権党に有利な施策といえる。

恩赦といえば、ロシアの作家ドストエフスキーが政治運動で逮捕されて処刑場に引き立てられ、銃殺される直前、法務官が皇帝の勅書をもって駆けつけた、恩赦の劇的場面がよく知られている。

それから62年後、桂太郎内閣の時、幸徳秋水、管野須賀子など24人に、天皇暗殺計画の大逆罪で死刑判決がだされた。が、明治天皇に拝謁《はいえつ》した桂首相が特赦を内奏して、半数が無期懲役に減刑され、処刑は12人に半減。とはいっても、死刑判決の罪証とは、若もの特有の「煙のような座談」（管野須賀子『死出の道艸《みちくさ》』）にすぎなかった。

恩赦は絶対的な権力者が行う「慈悲」の善政であり、国民主権の民主国家にはなじまない。

たしかに憲法では、「天皇の国事に関する行為」（第七条）として定められているが、時代とともに内閣が行使を抑制すべき事項であろう。

冤罪《えんざい》で処刑、獄死、いまなお獄の内外に無実を叫び続けている人たちがいる。が、この人たちでさえ、ほとんどは恩赦を申請してはいない。

「派遣」慣れにはならない

2019年10月29日

またまた自衛隊の海外派遣である。アラビア半島南部オマーン湾やイエメン沖での「調査・研究」が名目だ。これまでもPKO協力法でのカンボジアや南スーダン、海上警備行動でソマリア沖へと海外派遣の突破口が開かれてきた。こんども国会の承認が必要ない、防衛大臣の判断だけで派遣できる「調査・研究」。

「わが国に関係する船舶の安全の確保のために独自の取り組み」というのだから、米主導の「有志連合」には参加しないが、キナ臭くなったホルムズ海峡周辺へ出動することには変わりがない。

「情報収集態勢の強化」が目的という。これまでもおなじ理由をつけて、海上自衛隊の護衛艦が米空母を護衛したり、テロ対策特別措置法でインド洋へ派遣されたりしてきた。情報収集なら、なにも完全武装した護衛艦などで行かなくてもすむ。

トランプ大統領のイラン包囲網構想としての「有志連合」は、戦争の危険性がたかく、各国から不人気のようだ。さすがに、ことあるごとに「日米同盟強化」を唱える、トランペット安倍首相も、平和憲法と真っ向から対立する、軍事同盟そのものの「有志連合」には参加できない。

「存立危機事態」や「重要影響事態」などと、いろいろな理由をつけて米国の戦争に引きずり込まれるのは、まっぴらだ。まず海外での衝突に加担する義理立てには、強く拒否したい。

崩された壁

2019年11月5日

30年前。89年11月9日。ベルリンの壁崩壊。市民がコンクリートの壁に鶴嘴《つるはし》を打ち込む映像が全世界に流された。東西ベルリンを貫通する大通りを閉鎖していたブランデンブルク門が開かれ、血も凍る（ほど厳しかった）国境検問所「チェックポイント・チャーリー」は、なんの変哲もない道路にもどった。通り抜け自由。

社会主義の未来を信じた人たちに疑念を抱かせたのが、68年のチェコの民主化運動「プラハの春」に戦車を差しむけた、ソ連軍侵入だった。わたしはベルリンの壁崩壊の3カ月ほど前、労働ペンクラブのグループ旅行で、モスクワ、ワルシャワ（ポーランド）、東西ベルリン、プラハ（チェコスロバキア）、ブダペスト（ハンガリー）など、ペレストロイカ（改革）の現場をまわっていた。

そのあと「ハンガリー共産党政権の崩壊」（「潮」89年11月号）と予想して、以下のように書いた。

「日本が改革を歓迎しているのは、たぶんに企業進出や商取引の拡大を狙うからであって、民衆が立ち上がった変革の思想を学ぼうとしないのは、この国の退廃の深さを示している」

しかし、ベルリンの壁の土手っ腹に蟻の一穴。それでソ連邦が崩壊するとは思わなかった。

長期政権党の傲慢《ごうまん》放縦。官僚たちの迎合と出世主義。不自由な裁判所。マスコミの無気力。この無様《ぶざま》な壁は民主化運動で崩された。日本は例外なのか。

犯罪加害者家族支援

2019年11月12日

ずうっと気になっている記事がある。「犯罪加害者家族を支援するNPO法人」。東京新聞、先月26日。「あの人に迫る」の阿部恭子理事長へのインタビュー記事は、ユニークだった。

これまでの犯罪報道は、猟奇性と犯人への憎悪をもっぱらとして、世間の処罰感情を拡大させた。被害者の感情や厳罰をもとめる家族の声を伝えるのが普通だ。さらに最近では検事席側に、被害者家族を座らせるようになった。

有名事件であれば、あたかも観光地のように、容疑者の自宅に見物人がぞろぞろやってくる。「親の顔を見たい」「親の因果が子に報う」。一家に弁明の余地はなく、家族は雲散霧消。

冤罪《えんざい》であっても本人、家族ともに「犯罪者一家」として、一家離散の運命をたどる。いわれなき「業病《ごうびょう》」という言葉で差別されたハンセン病発病者の家族もまた、犯罪者のように身を隠して生き続け、家族ぐるみで罰を受けさせられた。

「お家断絶」。犯罪者をだせば家族は「一蓮托生《いちれんたんしょう》」。封建制度の名残だ。

「家族は絶対的で、不可欠だっていうこの国の根強い前提を、そろそろ崩してもいいんじゃないか」。家族とべつのコミュニティーを目指す、と阿部さんはいう。家族の汚名を着て自殺するひともいる。家族は防波堤であり、桎梏《しっこく》でもある。

「『個』を確立して偏見をなくそう」。その記事の見出しだった。

原発全廃宣言

2019年11月19日

日本憲政史上最長内閣とか。安倍内閣のことだが、さてそれではなにを遺《のこ》したのか。それが平和憲法を破壊したい野心の表明だけでは、のちの歴史学者は困惑しよう。そこで提案したい。「原発全廃宣言」。これで最長の掉尾《とうび》を飾ったら如何《いかが》。

日本は火山国。活断層がちいさな列島を無数に走る地震国では、パイプだらけの巨大装置の発展は、無理筋だったのだ。それに東洋的というべきか、側近身内優遇私物化長期政権が醸成した、官僚と裁判所の政府への忖度《そんたく》は度を越している。

このとき、キッパリ断言して拍手を浴びているのが、原子力規制委員会の田中俊一前委員長だ。「日本の原子力政策は嘘だらけでここまでやってきた。結果論も含め本当に嘘が多い」（「選択」11月号）。わたし自身、いままで原発立地各地を取材して「原発はウソとカネと脅しとで進められてきた。原発は民主主義の対極にある」と書いてきたので、田中さんの発言には驚かない。が、なにせ日本原子力学会会長、原子力委員長代理などの公職に就いてきた専門家の発言である。「原発はフェードアウトする」とも仰《おつしや》る。

安倍さん。公費で花見などの暇はありません。「嘘で世論を誤魔化しながらやる」と田中さんが仰有るのは、安倍政治のことではなく原発のことですが、どうせ先が見えた原発なら早い者勝ち、原発を退陣させた宰相として、歴史に名前を刻まれませんか。

核兵器禁止にむけて

2019年11月26日

最近、この国の史上最長宰相は、「美しい国」と我田引水風にいうこともなく、公費をふんだんにつぎ込んだ「桜を見る会」も、私利私欲風だと批判されてやめると宣言。自分に都合が悪くなると、官僚に命じて隠したり改竄《かいざん》したりで、振る舞いは美しくない。

このこともあって、世論調査では「首相発言信頼できない」が69・2％。「他にいないから首相」も、「さくら散る」の様相を帯びてきた。ときあたかもローマ教皇が来日。ヒロシマ、ナガサキの痛手をいまなお負い続ける日本の内閣が、世界の趨勢《すうせい》「核兵器禁止条約」批准にそっぽをむいているのに驚かれたようだ。

「核軍縮と核不拡散に関する国際法の原則にのっとり、あくことなく迅速に行動し、訴えていく」と、強めのメッセージを発した。

「何百万という子どもや家族が人間以下の生活を強いられる一方で、武器製造や改良、維持、商いに財が費やされ、築かれ、武器は日ごとに破壊的になっている。とてつもないテロ行為だ」

トランプ米大統領に追随して、米国産兵器を爆買いする安倍首相への直接的な批判ではないが、武器輸出を狙う日本への警告もふくまれている。

核兵器は最大の環境破壊兵器であり、大量殺害兵器である。その被害を受けながらも、禁止を主張しない被爆国。教皇ならずとも不思議に思って当然だ。

言論の力

2019年12月3日

緊張感はない。無視、拒絶、改竄《かいざん》、揚げ句の果てのシュレッダー。言論の府は冒瀆《ぼうとく》されている。

「そのうち不思議な感じが私の心にわいてきた。ここでハッと桂公を指せば、公はきっと引くり返って、椅子からころげ落ちるというような感じが、ふとおこった。演壇から大臣席にいる桂公とのあいだは数歩にすぎなかった。そこで大声疾呼しながら、全身の力をこめて二三歩進み出で、指頭をもって桂公を突くがごとく、迫っていった。その瞬間、公は真青になった」

尾崎行雄『咢堂《がくどう》回顧録』の一節である。指弾されたのは桂太郎首相。

「公の顔色はにわかに蒼白《そうはく》にかわった。しかし、予感に反して、桂公は椅子からころげ落ちなかったので、私は失望した」

これを引用して花田清輝は「そこには、言論のもつ魔力にたいする確信のようなものがうかがわれる。その結果、内閣は倒れ、桂太郎は、間もなく死んだ」(「言論の力」)と書く。桂は病床で「尾崎がおれを殺した」と繰り返した。

まともな説明ができない。それでも国会内で安定多数。牛の涎《よだれ》のような、歯止めなき宰相在籍日数。野党に内閣打倒、退路を断つ気迫があるのか。花田は書いている。

「私には、今日、言論の自由を説く連中が、尾崎行雄ほどにも、言論の無限の力を信じていないような気がしてならない」

暗黒の職場

2019年12月10日

新入社員が自殺、教育主任が自殺教唆の疑いで書類送検。三菱電機の話だが、同社はこれまでもなん人かの自殺者をだしている。それでもなお職場の状況は変わっていない。労働者のいのちを守るはずの労組は、いったいなにをしているのか。

全雇用者のおよそ4割が非正規。恵まれている大企業社員も、いつ非正規に転落するか、安閑とできない過酷な会社第一主義。労組は骨抜きにされ、筋を通す労組は徹底的に弾圧されている。

9日、労働法学会有志78名が「組合活動に対する信じがたい刑事弾圧を見過ごすことはできない」と声明を発表した。当欄でも紹介した、全日本建設運輸連帯労組の関西地区生コン支部への、警察の大弾圧は、委員長が6回、副委員長が8回も連続逮捕のタライ回し。それぞれ勾留460日間となっている。

戦前の治安維持法下ならいざ知らず、憲法二八条と労働組合法によって法的に認められている労組活動を、威力業務妨害と恐喝未遂の疑いで逮捕、勾留する警察権の乱用は民主主義破壊といえる。

労働運動と労働者の人権抑圧は、市民運動にも影響する。大阪、京都、滋賀などで組織犯罪対策課が中心に、「共謀立証」するための起訴者は延べ69人。関西を舞台としている事件なので、本紙以外の報道はすくない。これを見過ごしていると、警察国家を招くことになろう。

悲しい友情

2019年12月17日

国会も終わって年末。安倍晋三首相、逃げ切ったと安堵《あんど》しているのだろうか。オーストラリア産エリマキトカゲの遁走《とんそう》のように、満面の笑みで新宿御苑を駆けっこする、首相の映像がまだ眼の裏にこびりついている。「桜を見る会」。税金をバラまいて嬉《うれ》しそうだった。

憲法九条破壊。来年も画策するようだが、その前にまず「調査・研究」という名の「中東派兵」を閣議決定するようだ。とにかく、自衛隊を派遣する実績をつくりたい、それがトランプ大統領との友情の証し、とでも考えているのだろうか。

トランプ大統領は、得意の駆け引きで、自動車輸出などによるアメリカの対日貿易赤字を、牛や豚などの農産物ばかりか、戦闘機でも解消しようとし、それに成功した。

なにしろ、1機120億円以上の巨額な戦闘機を、147機もの爆買いさせたのだ。友情をカネでつなぎ留めようというのは、いじめっ子に小遣い銭を巻き上げられている、いじめられっ子のように悲しい。

友情におかねを介在させてはいけない、と安倍家では教えなかったのだろうか。まして、そのおかねは公金なのだ。「桜を見る会」のように、支持者をつなぎ留めるためにご馳走するのとおなじ理屈だろうが、戦闘機はプラモデルではない。

総額数兆円。庶民の税金を友情をつなぎ留めるために使っていいのだろうか。

ルーツごっこ

2019年12月24日

ひと様の家系をたどるＮＨＫ番組「ファミリーヒストリー」。指揮者の小澤征爾《せいじ》さんの祖父（新作）が山梨県で幸徳秋水をかくまっていた、と征爾さんのいとこが証言した。意外な取り合わせ。が、まったく根拠がない、と高知県四万十市の前市長・田中全さんがＮＨＫに抗議した（「秋水通信」12月10日号）。

小澤征爾さんにはとばっちりだが「おじいさんは義侠心《ぎきょうしん》のある人だった」と、天皇暗殺計画の冤《えん》罪《ざい》者との関係を、子孫が誇りに思うのは悪くない。しかし、秋水が山梨県を訪れた形跡はない。その頃、社会主義者や無政府主義者たちは、尾行がついたにしても堂々と大手を振って歩いていた。

「証言では秋水はまるで犯罪者、逃亡者だ」というのが、田中さんの批判だ。

「いつ、どこで、どんな方法でかくまったのかは、わからない」とＮＨＫは謝った、という。研究者に問い合わせもせず放送する。ＮＨＫ番組も軽くなった。

「売り家と唐様で書く三代目」。戦後改革は身分制度を解体したはずだ。いつのまにか三代目政治家たちが国政を牛耳って悪政ほしいまま。この時代、ルーツを誇る番組に抵抗がある。

「貴あれば賤あり」。差別に無頓着だ。「万世一系」の新天皇を祝う、安倍首相の「天皇陛下バンザイ」の大連呼は、アベノミクスお手上げ、やけのやんぱちバンザイだったように思えてならない。

二股膏薬の愚

2019年12月31日

暮れも押し迫った27日、安倍内閣はどさくさ紛れに中東への自衛隊派遣を決めた。米軍の要求は執拗《しつよう》だが、日本は他国への武力制裁を否定した、平和憲法の国なのだ。

1991年、米国の湾岸戦争への参加要求を辛うじて拒否したあとは、ずるずる米軍の要求に応じて、禁足の海外派遣を小出しにしてきた。

かつて後藤田正晴官房長官は、旧海軍将校・中曽根康弘首相が、ペルシャ湾での機雷除去に海上自衛隊を出動させようとしたのにたいして「閣議決定のサインはしない」と拒絶した。いまの安倍内閣の面々には、期待すべくもない頑固な平和主義だ。

「調査・研究」を名目にした御用大臣たちによる、正月休み前の慌ただしい閣議決定。ほとんど討論はない。国会の文民統制を無視し政府が勝手に決定する国民不在の独断。

そもそも調査・研究なら武装した護衛艦で行く必要はない。かつて、自衛隊の行くところが「非武装地帯」という詭弁《きべん》を弄《ろう》されたことがあったが、実際は砲撃されていた。

急速に米・イラン関係が悪化し、米主導の「有志連合」が組織されたのがこの迎合劇の発端。日本は明確に拒否もできず曖昧な二股膏薬《ふたまたこうやく》。が、有志連合とも連携して情報共有するので正体明確だ。

トランプ大統領のご機嫌とりに、紛争地周辺へ自衛隊を派遣するのは、危険な火遊びだ。派遣期間は1年間。延長もあり得る。

2020年

2月 新型肺炎でクルーズ船が横浜港停泊

4月 新型コロナウイルス感染症拡大により緊急事態宣言の発令

5月 黒川弘務東京高検検事長が賭けマージャン問題で辞表提出

白人警官による黒人男性への暴行死に抗議するデモが全米に拡大

6月 中国で「香港国家安全維持法」が可決

7月 「Go To トラベル」キャンペーン開始

8月 安倍首相が辞任表明

9月 菅義偉内閣が発足

日本学術会議の新会員候補6人を菅首相が任命拒否

12月 袴田事件、最高裁が高裁に差し戻し

わが初夢

2020年1月7日

東京の正月は晴天つづきだったが、新年は不安とともにはじまった。

トランプ米大統領のイラン司令官の暗殺。歴史的な短慮だが、イラクを舞台にした事件で、それと連動しかねないのが、安倍首相の中東近海への自衛隊派遣。双方ともにイエスマンに囲まれた、国政を誤るジコチュウ安楽政治。「敵は殺せ」という権力者の妄執をまざまざとみせつけられた。安倍首相は、支持声明をだすのだろうか。

さて、保釈保証金15億円を捨てて逃亡した、日産自動車前会長のゴーン被告も、犯罪史上に残る人物だ。が、しかし、自供するまで勾留しつづける「人質勾留」をもっぱらとする、日本司法への批判は当たっている。

妻にも会わせない日本独自の長期勾留は、取調官への従属を深め、数多くの冤罪《えんざい》を発生させてきた。証拠がなくとも自供偏重の起訴、それが日本の司法の現実だ。労働運動や市民運動で逮捕された場合も、保釈までの期間が極端に長くなっている。

さらにEU加盟国では、とっくに絶滅した死刑制度を、いまだ護持する日本の司法から逃げだしたことに、同情を買っているようだ。

偽造された証拠で死刑判決を受けた袴田巖さん、狭山事件の石川一雄さん（二審で無期懲役）は、すでに半世紀以上にわたって無実を訴え続けている。日本の司法を信頼させるために、今年こそ、まずこのふたつの冤罪の再審開始を決定してほしい。

叛逆老人はいま

2020年1月14日

台湾民進党の圧倒的勝利。香港の若者たちの運動が影響した。かつて韓国軍事政権を学生の闘争が倒した。沖縄のデニー県知事誕生にも若者の力が大きい。成人の日を迎えた若者たちに強調したい。政治に無関心では「ゆで蛙《がえる》」になるぞ。

60年前の日米安保反対闘争、52年前の全共闘運動。敗北して散り散りになった。それでもまだ熾《おき》火《び》は残っている。いましぶとく続けられている反原発、安倍亡国政治反対運動は、70、80歳の叛《はん》逆《ぎゃく》老人がささえている。

わたしは安保世代、国会前で「岸を倒せ！」と叫んでいた。全共闘運動がはじまった時はちいさな雑誌の編集者だった。昼は東京神田三崎町で日大学生のデモの熱気に圧倒され、勤め帰りには東大安田講堂前に日参していた。が、肝心の落城の日は肺炎で寝込み、テレビの音だけを聞いていた。

昨年暮れに発刊された『続・全共闘白書』（情況出版）は、７００ページにおよぶ。半世紀前の闘争に参加した、１２０校、４５０人の老人たちへのアンケート集成である。

これをみると、「運動に参加したことを誇りに思っている」が69％。「あの時代に戻れたら参加する」は67％。「ボランティア参加」は、「ときどき参加する」もふくめて64％になっている。

いま「もしも」というのは悲しいが、爆弾闘争と内ゲバがなければ、運動は着実に拡大していたはずだ。

逃げるが勝ち?

2020年1月21日

「不正義からの逃亡」などといって、日本の司法を批判するカルロス・ゴーン日産自動車前会長は、側近グレッグ・ケリー元代表取締役を置き去りにしての、自分だけの大逃走だった。

保釈保証金15億円を捨て、脱出費用十数億円といわれている。彼が眼を剝《む》くほどの大金をもっていたのは、労働者を大量に犠牲にした代償だった。

彼の手柄といわれている日産再建とは、名門プリンス自動車の主力だった村山工場や京都工場、マリン部門など容赦ない切り捨ての結果だった。「コストカッター・ゴーン」の年収は日産だけで、10億円といわれていた。

2018年には、日産ばかりか、ルノー、三菱自動車との3社から、合わせて19億円。日本の経営者の年俸を極端に押し上げたのは、彼が日産の社長になってからだった。日本の年収中央値は360万円、その500人分である。それも創業者ではない、雇われ社長の報酬なのだ。格差は巨大だ。

ゴーン氏が日本に帰ってきて、被告席に座ることはないのだろうか。「日本の司法は不正義」と彼は断定している。とすると裁判所がいまのように、政府や大企業に忖度《そんたく》することなく、「疑わしきは罰せず」の法の精神に徹底すれば、ゴーン氏も安心して裁判を受けられる。

「不当に長く抑留若《も》しくは拘禁された後の自白は、これを証拠とすることができない」と日本国憲法には定められてある。

生活保障なき経済大国

2020年1月28日

このところ、経団連は、さかんに「日本的経営からの脱却」を唱えている。日本の社会が安定していたのは、会社が社員の一生を家族のように面倒みます（生涯雇用）、勤続年数によって収入がふえます（年功型賃金）とする「家族主義」が、大企業から中小、零細に至るまで、穏やかな労使関係をつくってきたからだ。

もちろん「希望」退職という名の日本型解雇も多用されていたので、生涯雇用と年功型賃金は看板倒れでもあった。経営者はいまは知らんフリしているのだが、日本的経営のもう1本の重要な柱が「企業内組合」である。

海外では「ハウスユニオン」とも呼ばれる一家主義で、労働者の横断的な連帯意識と運動とは逆に、企業間競争の基盤になってきた。この3点セットが資本と労働の緊張関係を、ほんわか包み込んで生産性向上をもたらしてきた。

ところがここに来て、労働組合だけは相変わらず企業べったりにさせておいて、それの交換条件だった「温情主義」を、露骨な能力主義、成果主義に変えようとしている。

そのおまじないが「国際競争力の強化」。外敵の恐怖を煽《あお》って効果をあげる精神支配は、「蒙古襲来」のやり口だ。非正規はいうにおよばず、正規も限りなくバラバラにされて職場でものもいえず、ホームレス予備軍となる。連合が労働者の味方なら、全労働者の生活を保障させる運動体となれ。

まだ残る農薬被害

2020年2月4日

中学校への登校は、リンゴ畑の中を通り抜けるのが近道だった。リンゴ特有の低い樹木の間から、白い霧が這《は》いだしてくる。わたしたちは学生服の袖で口を覆い、顔を背け息を止めて駆け抜けた。噴霧器から流れでてくるのは、農薬のホリドール。子どもたちでも猛毒だと知っていた。

そのあと、ホリドールは生産中止。水俣病、亜硫酸ガス、アスベスト、そして原発。人間のいのちを犠牲にする大量生産方式は矛盾であり、食べ物をつくる農薬の害毒は、根源的な矛盾である。

青森県の太平洋岸。特産品「長芋」の畑作地帯に住む三浦堅作さん（69）はこの5年間、農薬クロルピクリンの健康被害を、国や県に訴えつづけてきた。彼は寺院などの建築を専門にする一級建築士で、農家ではない。

まわりが一面の長芋畑で、その生産をクロルピクリンがささえている。8年ほど前から、目の痛みやめまいが激しくなった。持ち前の研究熱心さから資料を渉猟し、戦時中、化学兵器として使用されていたクロルピクリンが原因、と断定できた。「農薬曝露《ばくろ》に起因する化学物質過敏症」。これが三浦さんの病名である。

この農薬の使用は、農業用ポリエチレンフィルムによる被覆が義務づけられている。しかし、「難透過性フィルム」でも、有毒性ガスの漏洩《ろうえい》は防げない。「生産を中止してほかの方法を確立すべきだ」。三浦さんは勇気を奮って強く主張している。

火事になった消防車

2020年2月11日

消防署が火事になり、警官が強盗を働き、医者が人を殺し、首相が公職選挙法に違反したら、世の中真っ暗だ。高額税金を私用にまわした首相の桜見物もデタラメだが、原発の化学消防車が火事になったら大変だ。

消防車が火事になる、などというと、ウソをつくなと非難されそうだ。しかし、実際に、2月3日午前1時ごろ、青森県の最北端、大間原発の車庫内で、化学消防車から出火した。

火災報知機の警報で駆けつけた守衛が通報し、ポンプ車四台も駆けつけて消火した。放水用配管の凍結を防ぐため、外部電源で作動させていたヒーターの故障が、原因だったようだ。

電源開発が建設している大間原発は、1グラムでも致死量という猛毒プルトニウムとウランとの混合酸化物（MOX）を全量燃料とする、実験的、かつもっとも危険な原発。1970年代に計画され、2008年から建設工事に入ったが、いまだ原子炉は設置されていない、がらんどうの建屋のままだ。無用の長物ともいえる建屋だったから不幸中の幸いだった。

500メートル離れたお隣りである熊谷厚子さん（65）は「自分の火事も消せない会社が危険な原発を運転できるわけはない」とあきれ果てている。

母親のあさ子さんは用地買収に応じないまま14年前、68歳で他界した。いま厚子・奈々さん親子がその遺志を継いでいる。

春さきの風

2020年2月18日

俳句の季語だった「春闘」も、いまや死語。「ストライキ」「ピケ」などが新聞、テレビで報じられなくなって久しい。それが働くひとびとの権利の低下をあらわしている。

15日（土曜日）、東京・田町交通ビルで「関西生コン事件を考える集会」があった。わたしも参加した。この欄でも昨年暮れに紹介したが、関西地区の生コンクリート業界の労組員たちが、ストライキや抗議行動しただけで、89人が逮捕、71人が起訴されている。

権力者が強権を使って、労働者や市民に圧迫を加えることを弾圧という。暴力行為もなにもなくても、逮捕された委員長や副委員長は、1年5カ月も勾留されたままだ。ストライキは、憲法第二八条で「勤労者の権利」として認められている。逮捕そのものが不当なのだ。

わたしは中野重治や小林多喜二が書いた、92年も前の「三・一五事件」を思い出している。治安維持法下の弾圧事件で、中野重治は夫ばかりか、赤子を抱えたまま留置場に入れられた妻を主人公にしている。赤子は死亡する。悲しみの妻は「わたしらは侮辱の中に生きています」と手紙に書く。

憲法や労働法があっても、警察は威力業務妨害、恐喝未遂で逮捕、組合をやめろと迫る。裁判所は組合活動の禁止を「保釈条件」とする。只今《ただいま》現在の話だ。労働運動は民主主義の基盤だ。弁護団は国家賠償請求の訴えを起こす。

理念なき政治

2020年2月25日

コロナウイルスの厄災拡大にともなって、安倍私物化政治への批判が、紙面から消えだした。この混乱期に憲法への「非常事態条項」の設置が、いわば火事場泥棒的に唱えられている。どさくさ紛れ、新手の憲法改定策動である。

わたしの大いなる疑問は、自民党内に存在しているはずの良識派が、安倍首相のこれまでの民主的手続きを無視する政治に、なぜ民主主義の破壊行為だ、との苦言を呈しないのか、である。すくなくとも、自由と民主主義を標榜《ひょうぼう》する政党なら、モリ、カケ、サクラ、揚げ句の果てに、政権を監視するはずの検察トップ、検事総長をも自分の息のかかった者にする、そのために法をねじ曲げる卑劣な工作など、認められないはずだ。

政権を延命させて、あなたはなにをやろうとしているのですか、とわたしは安倍首相に問いかけたい。過労死するほど働いても、将来の生活はおろか、現在も食べるのに精いっぱい、という膨大な層の若者たちに、どんな希望を与えるのですか。

とにかく祖父・岸信介元首相の夢。戦争のできる憲法にする。首相が全権掌握する「非常事態条項」をいれる。そのために政府の延命を図ろうというのでは、将来かならず歴史から復讐《ふくしゅう》されよう。法の解釈を自分の欲望に合わせて勝手に変えるのは、民主主義政治に敵対する。それでも支持するのは、もっとも危険な政治家にいのちを預ける無謀、である。

亡国の内閣

2020年3月3日

たまたまテレビで、下級生が上級生に手づくりの卒業証書を渡すシーンをみた。今春で廃校の予定だったが、この2日から全国臨時休校。それで、その日、唐突に最後の授業となった。

何年か前、小学校でミサイル訓練があった。児童たちが教室の机の下に潜らされた。いまではバカげたエピソードのひとつにされているが、危機の宣伝に子どもをダシに使うのはよくない。

今回の臨時休校も戦車に乗ってポーズをとったり、戦闘機に乗ってご満悦、号令好きの首相が、専門家会議に諮ることなく、大むこうを狙った独善的な決定だった。

説明なしの決定だったため不満が高まった。1月中旬にコロナウイルスが問題になってから1カ月半、ようやく首相が会見にでてきた。が、演壇の左と右とに配置された、プロンプターの文字を読み上げるだけの演技だった。

どの言葉にもひとを思う心がこもっていない。首相としての痛みも方針もない。水際での防疫の失敗への反省もない。

子どもを抱えた親たちは仕事をどうするのか。子守りや食事やこまごまとした生活への配慮は、まったく見当たらない。耳についたのは、万全の対策をとる決意。盤石な検査、医療体制の構築。最大限動員など、いつもながらの空疎な大言壮語。大臣たちも危機を危機として感ぜず、対策緊急会議をサボっていた、亡国の内閣。

惨事便乗型内閣

2020年3月10日

明11日はフクシマ事故から9年。福島県の10基の原発、そのすべてが廃炉と決まったが、事故は収束にはほど遠い。被災住民の病死が続き、子どもたちの将来の健康も心配だ。避難者の生活再建は難しく、被曝《ひばく》労働者は発病の不安を抱えている。それでも政府は原発をやめようとしない。事故が起こったにしてもだれも責任をとるなどと考えていないからだ。

20日、東京・亀戸中央公園で予定していた「さようなら原発全国集会」と翌日の国際シンポジウム「東京五輪で消されゆく原発事故被害」は、痛恨の想《おも》いで中止にした。

つまりはコロナウイルス拡大のためだが、放射能に無策の安倍内閣にたいする抗議集会を、ウイルス防衛に失敗した首相の「自粛要請」を受けた形で中止にするのは、いかにもくやしい。

ナオミ・クライン著『ショック・ドクトリン』は、自然災害や戦争のショックに乗じて、大資本と右派政治家とが結託、「復興」や「再建」によって、膨大な利益をほしいままにする例を紹介している。翻訳者は言い得て妙というべきか「惨事便乗型資本主義」と訳した。

水際の防疫に失敗して全校休校の強行。官房長官も文科省もアッと驚く暴政（非正規労働者の死活問題）だった。いま、どさくさ紛れに「緊急事態宣言」をともなう法律を強化しようとする。憲法改定の重要な柱「緊急事態条項」を導入。油断も隙もナイ閣だ。

ある事故死

2020年3月17日

石井紀子さんが亡くなった。67歳。交通事故だった。千葉県成田市の作業場で、明朝配送のための人参《にんじん》を選別し終え、軽トラックで自宅へむかった。考えごとをしていたのだろうか、自宅への曲がり角を通り過ぎた。

急にUターンして、疾走してきた軽自動車と正面衝突。ほぼ即死だった。相手の若者はエアバッグで無事だったと聞いた。

1972年、学生のとき、「三里塚闘争」といわれた、成田空港建設反対運動に参加した。突然の一方的な用地発表の閣議決定だったから、ほとんどが自民党支持だった農民たちを憤激させた。学生運動が昂揚《こうよう》したあとだった。全国から学生や労働者が駆けつけ、常駐した。学生の援農にささえられた、小学生もふくめた家族ぐるみの抵抗闘争は、数多くの逮捕者、負傷者ばかりか自殺者、死者をだした。計画から54年たったが未完成。計画変更後も混乱を極めている。

石井紀子さんは、農家の若者と結婚した十数人の女子学生のひとりだった。ミミズにも恐怖する、東京の教員の娘だった。「義母たちのように土に生き、土に死ぬ百姓にならねば」。それが決意だった。17年前に他界した義父、8年前に離婚した夫とわたしは懇意だった。「土と闘争に根を張って生きた。それで得た人生です。この在り方を続けていきます」と彼女はわたしに爽やかに語った。初心を全うした一生だった。合掌。

三つの家族

2020年3月24日

コロナウイルス感染に終息の見通しはない。放射能でさえ「アンダーコントロール」と嘯《うそぶ》いて、東京五輪を誘致した超能力首相も、ついにトランプ発言に追随して延期の弱音。季節は巡ってまた桜が咲いたとはいえ、一族郎党、後援会員最優先、国費で桜を見る会も中止。

さらに追い打ちをかけているのは「最後は下部がしっぽを切られる。なんて世の中だ」との無念を書き残して自死した、近畿財務局職員の遺書。

安倍昭恵首相夫人が名誉校長に就任していた「森友学園」問題。ベラボーな国有地時価より9割引きの払い下げが露顕する、首相は「私や妻が関係しているということになれば、間違いなく総理大臣も国会議員も辞めるということをはっきり申し上げておきたい」と大見得《おおみえ》を切った。

この依怙贔屓《えこひいき》の後始末が、財務省の文書の改竄《かいざん》と抹殺。その作業を実際にやらされた近畿財務局の赤木俊夫さん＝当時（54）＝の死に至る苦悩と恐怖の手記が、「週刊文春」に掲載された。

この問題が解決しないのは「（財務省幹部らが）国会等で真実に反する虚偽の答弁を貫いていることとが最大の原因でありますし、この対応に心身ともに痛み苦しんでいます」

繊細な良心が苦しみ、命を絶った。森友学園の籠池夫妻は詐欺罪で長期勾留の、刑事被告人。赤木夫妻は死別。当事者の首相夫妻は今日も首相夫妻のままだ。

検察はもう怖くない

2020年3月31日

安倍昭恵首相夫人が名誉校長に就任していた、森友学園への国有地超安値払い下げ事件。公文書改竄《かいざん》に関与して自死に追い込まれた、財務省近畿財務局職員・赤木俊夫さんの手記について、先週に続けて書きます。

パソコンに遺《のこ》された手記に「気が狂うほどの怖さ」など、怖さ、怖い、嘘《うそ》、虚偽などの言葉が書き連ねられてある。この国有地払い下げは、会計検査院の検査を受けたばかりか、市民団体から証拠隠滅で告発されていた。

妻の話では、赤木さんは「内閣が吹っ飛ぶようなことを命じられた」。「検察に狙われている」と怯《おび》えていたという。実際に事情聴取要請の電話がきたあと、恐怖に震え上がり病状悪化。「玄関の外に検察がおる！」と叫ぶほどになっていた。

1954年4月、造船疑獄で佐藤栄作自由党幹事長が東京地検特捜部に逮捕されそうになったが、法務大臣の指揮権発動で辛うじて遁《のが》れられた。あるいは、76年8月、田中角栄前首相が受託収賄などの罪で起訴された。政治悪は検事総長が率先剔抉《てっけつ》するはずなのだ。

ところが、今回、佐川宣寿元国税庁長官など、誰ひとりとして有印公文書変造罪で起訴されなかった。さらに安倍内閣は黒川弘務東京高検検事長が定年になるのに、延長ゴリ押しの閣議決定で、検事総長に据え置く方針。赤木さんが死ぬほど恐怖していた検察庁は、張り子の虎にされる。

緊急事態宣言の朝

2020年4月7日

今日、緊急事態宣言の朝を迎える。東京、大阪など七都府県に限定されたのがせめてもの救いか。「伝家の宝刀」などと意気がる自民党議員もいたが、戒厳令など強権拡大、私権制限の暗い歴史に無知なノー天気。関東大震災で横行した大量虐殺やすでに改憲草案に挿入されている緊急事態条項を思えば、支持しがたい。

「人類が新型コロナウイルスに打ち勝った証しとして……必ずや成功させたい」。相変わらずの空疎な大言壮語。現在只今《ただいま》の疫病対策よりも、オリンピック開会式での自分の晴れ姿を夢想している、ジコチューの安倍首相。

いまやるべきことは、かのトランプ大統領に押し込まれた1機120億円以上の、ステルスF35Aの爆買いを撤回して、その資金でこれからまちがいなく路頭に迷う、コロナの犠牲者の生活を救うことであろう。人民を疲弊させて、超高価な武器をなんのために買うのか。

いのちの優先順位がひそかに囁《ささや》かれている。一方では買い占めの列。生存と生活が極端な条件下まで押し詰められている。この状況のなかで、あらたなモラルもではじめている。

自分の存在を被害者としてばかりではなく、加害者としても認識する。もしも自分が他人に感染させる存在となってしまうなら、それは堪《たま》らないことだ、と自分と視えない他人との関係について考える。それが相互扶助の考え方に繋《つな》がる、と思う。

うちで踊ろう

2020年4月14日

出口の見えない蟄居《ちっきょ》生活の運動不足。いかがお過ごしですか。

政府からのマスク2枚の無料配給。せっかくのアイデアなのに、さっぱり人気を得なかったので、第2弾。お金のかからない首相のパフォーマンス、「自宅でくつろぐ方法」がインターネットで公開されている、と友人から聞きました。

ところが残念なことに、当方、アナログ世代で接続できないので、転送してもらったのですが、首相の自宅でしょうか、愛犬と戯れ、テレビのリモコンを押し、コーヒーを飲むパフォーマンス。もともと嘘はつくけど、演技力のないひとですから、みていて窮屈で疲れました。

それで思い出したのですが、チャプリンの映画『独裁者』で、ヒトラーもどきの男が、地球儀をかたどった風船相手にひとりで踊る孤独なシーン。その執着ぶりが笑いをさそったのですが、首相もいくつかの演技をするよりは、「うちで踊ろう」との歌に合わせて、「地球儀をフカンする踊り」を踊ってほしかった。

日本はもう9年もつづいている「原子力緊急事態宣言」の窮状に加えて、コロナ緊急事態宣言。この自粛ムードが、政府の強権を当たり前にして、憲法改悪、緊急事態条項の挿入にされないか、と心配されています。「トランペット」の愛称のある安倍さん、かの国の大統領のように、これからツイッターを振りまわすのですか、御免《ごめん》です。

二人羽織の首相

2020年4月21日

トランプ米大統領は戦時の大統領を気取り、マクロン仏大統領も「これは戦争だ」と言い切り、大袈裟《おおげさ》な物言いでは人後に落ちない日本の首相は、「第三次大戦だ」と口走ったそうだ。

たしかに世界的な大厄災とはいえ、ドイツのメルケル首相のように、情理を尽くして語り、国民にむけて自粛を訴えて感動を与えた政治家もいる。それとくらべるのはどうかと思うが、緊急事態宣言の発令でさえ、プロンプターに誘導され、秘書官が書いたスピーチを身振りをまじえて読み上げ、手を振る二人羽織。ＡＩ（人工知能）時代のリーダーは、たよりない。

しかし、危機にこそ強いリーダーが必要だ、と強権に期待する雰囲気になってきたのは、逆にまた恐ろしい。このような首相を選びだしたのは、日本の民主主義の現状なのだ、とわたしたちは自省するしかない。

大国アメリカは世界最多の核弾頭と世界最強の軍備をもちながら、世界最高75万人の感染者と4万人の死者を発生させている。軍事予算の物差しと経済格差の物差しとはおなじではない。

今回のパンデミックは、物資主義への逆襲だったかもしれない。いま自粛もなく、まるでパンデミックの隙を突くように進められている沖縄・辺野古での米軍基地建設工事、さらに懲りない原発再稼働。このコロナの試練を乗り越え、運動にむかう準備は怠らない。力を蓄えていよう。

ホメ殺し

2020年4月28日

「『官邸官僚』と新造語でくくり、専横をほしいままにしたがる輩《やから》」とみられている、と谷口智彦内閣官房参与が、杉田和博、今井尚哉、北村滋、佐伯耕三氏などの「官邸官僚」たちを擁護している（「Ｈａｎａｄａ」六月号）。

安倍首相のスピーチライターを務めた経験がある谷口氏は、この論文で、4月7日、緊急事態宣言発令の首相演説を取り上げ、「佐伯氏が精魂傾けた原稿と総理の声音」とゴーストライターを絶賛。さらに経産省と警察庁官僚からなる、官僚たちを褒めたたえている。

「今井氏は、もし官邸のどこかで突然心臓が止まり、そのまま横死したとしても、むしろ本望と思う、そういう人だ。それは今井氏にとって殉職だ。死ぬならそのくらいがいっそ有り難いと言うであろう下僚を、安倍総理は育てた。それも、1人や2人ではない」

これは「文学的アヤ」というものであろう。もしも首相官邸五階、国家権力の中枢に殉職覚悟の忠臣たちが屯《たむろ》しているなら、これからふえそうなコロナ・ウイルス感染死や過労死、孤独死、生活苦からの一家心中など、社会的な死はたいしたことはない、となろう。なぜなら名誉ある死にしか痛みを感じなくなるからだ。官邸官僚は市民を見くびっている。

論文は首相にオマージュを捧《ささ》げて、こう続ける。「7年有半、蓄え、磨いてきた安倍総理の指導力は、まるでこの日に備えてきたかのようにさえ見える」

呪われた手口

2020年5月5日

毎年5月3日は、非戦と人権尊重を誓った「日本国憲法」に感謝し、破憲の野望を挫《くじ》く決意を固める日だ。今年は新型コロナ感染にたいする緊急事態宣言下で、残念ながら集会は自粛となった。

安倍首相は「憲法改正への挑戦は決してたやすい道ではないが、必ずや成し遂げるという決意に揺らぎは全くない」と惨事便乗型5月3日談話。「火事場泥棒的、どさくさ紛れの憲法改定策動」と2月25日の本欄に書いたが、それから2カ月以上たった。

出口のみえないコロナ禍の不安感が強まった最近の状況を好機とみて「必ずや成し遂げるという決意に揺らぎは全くない」。この言い訳がましい口調が案外、逆に強がりと揺らぎを感じさせる。

新型コロナ感染がはじまった頃、いちはやく便乗。「憲法改正の大きな実験台」と伊吹文明元衆院議長がチャンスと主張。3日のＮＨＫ日曜討論会では、稲田朋美幹事長代行も憲法審査会で議論をはじめたい、と強調した。

自民党幹部は緊急事態宣言を奇貨としてこれになじませ、本番の緊急事態条項を憲法に挿入する野望である。政権与党が国民の隙をついて、泥棒猫のように憲法を横取りするのは、品位がない。憲法九九条の「憲法尊重擁護義務」違反である。

「ナチスの手口」。「呪われたオリンピック」。麻生太郎副総理の暗い言葉が、意外に正直な心情の吐露として聞こえる。不思議だ。

コロナと軍事訓練

2020年5月12日

「自粛」期間が長引いて運動不足。内閣の息のかかった黒川弘務氏を、検事総長へゴリ押しするデタラメ格上げ人事への抗議デモもできず、欲求不満。

地上では見えないコロナウイルスに頭を垂れ、鬱屈《うっくつ》しているうちに、秘密裡《り》にすすめられているのが、はるか上空での米戦略爆撃機と自衛隊戦闘機との編隊訓練だ。

混乱につけ込むのがアベ政治特有の戦術だが、この合同訓練がいままでとちがうのは、米本土を飛び立った爆撃機が、日本列島に到達しても着陸することはない。何回かの空中給油を受け、30時間ほどの飛行をつづけ、そのまま米本土へ帰還している。

だから、コロナ騒ぎのなかで、誰からも気付かれることはない。自衛隊戦闘機を15機ほど護衛に従え、先月下旬から週1回ほどの演習を繰り返している。高度1万メートルからの精密誘導弾投下の秘密作戦である。

米軍は北朝鮮、中国にたいする抑止力として、グアム島に配備していたB1とB52戦略爆撃機を先月、本土の基地に引き揚げた。青森県三沢基地空域での訓練をスクープした「東奥日報」の斉藤光政記者は「最初は三沢基地付近での日米合同訓練だったのが、いまは沖縄まで足を延ばして訓練、米本土に帰っているようです」と教えてくれた。

コロナにたいする防衛は、国際協調でしか闘えない。軍事強化では勝てない。

絶望の再処理工場

2020年5月19日

コロナウイルスにたいする行動の自粛を要請する一方で、ヤミクモ検事総長の出現を画策する安倍首相への批判がどんどん強まって、アベのマスクの表情はますます冴《さ》えず、ついに先送りか。

まわりを固めている側近は、西村康稔経済再生担当相もふくめて、いまなお原発推進の経産省官僚たち。このところ、コロナに押され、忘れられている原発放射能の不安は、コロナ沈静化のあとまた立ち上がってくる。

差し迫った危険は福島第一原発の汚染水処理だが、鹿児島川内、日本原子力発電の東海第二原発など、再稼働の欲望もふくめて問題山積。さらに難題は、青森県六ケ所村の核燃料再処理工場。なにしろ日本の原子力政策は、1974年9月の原子力船「むつ」の放射能漏れ事故と廃船からはじまり、夢の高速増殖炉「もんじゅ」も事故によって廃炉。経費は1兆円以上ムダになった。

それと連動している再処理工場は、着工から27年たっても、まだ試運転さえ成功していない。当初は核燃料サイクル全体で1兆円の予算だったが、この工場だけに3兆円かけても、運転成功の見通しはない。

使用済み燃料から原爆原料のプルトニウムを取りだした廃液を、ガラスと混ぜる固化設備の建屋内で、落下したレンガを回収するだけで1年半かかった。それから10年たった。が、なんの進展もない。それでも止まらない日本陸軍愚劣のDNA。

「責任」の責任

2020年5月26日

六ケ所村（青森県）の木村きそさんは、県知事がテレビに出てくると、ハエ叩《たた》きで画面を叩いていた。半世紀前、失敗に終わった「むつ小川原巨大開発」。反対運動のひとことまである。土地を奪われ犠牲になった農民は多い。

いま、安倍首相がテレビにでてくると、チャンネルを切り替える、というひとたちがいる。こちらの方が平和的、というべきか。演技的なちいさなマスクをかけ、目に力のない、窮屈そうな表情をみるだけでも、気が滅入《めい》る。

嘘つき呼ばわりされてきたが、理解力と想像力とがたりなかったからのようで、近づいてくる人間には小学校の土地を安くわけてやったり、「腹心の友」には大学を創らせたり。外国へ行っては使いもしない戦闘機を大量に買ってくる。諫《いさ》める側近がいないがための、国民の不幸。

と考えたりしていたのだが、今回の黒川検事長の定年延長は「法務省が提案した」と言い逃れ、本人の賭博行為が暴露されても、もっとも軽い訓告処分にしたのは自分ではない「法務省だ」と言い張ったり。それでも、「最終的には首相として当然責任がある」というのだが「最終的に」「当然」の言葉をはさんで緩衝剤にする。

これまでなんども、セキニンガアルと言った。が、無責任のままにおわった。昔の責任は自裁、ハラキリだったが野蛮にすぎる。いまは「受任」を辞める「辞任」である。それが人間的な良心というものだ。

新しい政治様式

2020年6月2日

このまま無事に、うまくいってほしい、それが共通の願いだ。自粛から自重へ、とにかく第二波を軽く過ごしたい。「新しい生活様式」。賛成だ。が、いまもっと重要な課題は「新しい政治様式」。なんとかならないか。いつまで泥沼のようにつづくのか。世論調査では安倍内閣の支持率急落。泥舟にしがみついているのだが、内部から変えろという声が聞こえてこない。昔はやや紋切り型ながら、「打倒」といったのだが、いまはそんな元気がないのが残念だ。

「マスクして目は口ほどに話せない」（池田澄子）。

作家の小沢信男さんが紹介している句（「みすず」六月号）。

だが、蟄居《ちつきょ》して目だけきょろきょろさせていては世の中変わらない。そのマスクさえまだこない。10万円が着く前に斃死《へいし》しそうな人がふえている。「パッと不安が消える」と口封じを狙ったマスクが利権まみれ。中小企業などへの「持続化給付金」は、報道のように、電通やパソナなど政権に近い大企業に委託された事実が、暴露されている。「取り巻き優遇政治」の底は深そうだ。

新しい政治様式とは、密談、密謀、密約の三密排除。愛と知性と品性の政治である。

いのちと生活防衛のために、米製兵器の爆買いはやめる。永遠の未完が予測される、辺野古米軍基地建設（2兆5000億円）と青森県の核燃料再処理工場（14兆円）はキッパリやめる。

1960年6月

2020年6月9日

無力感の拡散。新型コロナウイルスのことではない。政治に嫌気を誘う安倍政権の戦術だ。森友、加計、桜、マスク、持続化給付金。Go To キャンペーン。国家予算を「腹心の友」たちへ横流しする、長期政権の放埒《ほうらつ》、放縦を数えたてれば「もういい、聞き飽きた」との声が聞こえてきそうだ。

国会で野党が追及しても政権は高を括《くく》って、のっぺりした時間が過ぎるだけ。前法務大臣の妻の選挙資金は、普通の候補の10倍。それがバラまかれて買収資金となった。

検事総長に思いのままになる人物を指名して、政権を安定させようとした野望は、元検事総長たちから「朕《ちん》は国家なり」か、と時代錯誤を痛烈に批判されて頓挫した。

なにしろ「オレが立法責任者」と信じこんでいた御仁《ごじん》だから、民主主義の素養などゼロ。それを担ぐ自民党に良識なく、それに従う公明党に良心はないのか。議会内多数派の退廃をみせつけられ、切歯扼腕《せつしやくわん》。いま集会もデモもひらけない。コロナの恐怖は政権に優位に作用しているようだ。

6月。60年前、わたしたちは岸内閣の日米安保条約強行採決に反対、国会前に座り込んでいた。いま、その孫・安倍首相が、憲法九条平和条項を変えようとしている。

15日から3日間、午前11時から衆議院会館前で、市民の安倍退陣要求の座り込みがある。この60年を無駄にはできない理由がある。

アイヌの誇り

2020年6月16日

スッキリ立っている。こそげ落とした清涼感がただよっていて、皺《しわ》のない頬が輝いている。87歳。宇梶静江さんにお会いして、わたしはその若々しさに目を瞠《みは》った。

2年前、トイレに這《は》っていくほど足が弱っていた、というのだが、いまは杖なしで歩いている。アイヌ女性としてどう生きてきたのか。たまたま藤原書店のちいさな集まりでお会いしたあと、出版されたばかりの自伝『大地よ!』を頂いた。

山の中でキノコに出合うと「キノコさん、あなたを頂いて食べさせて頂きます。そしてあなたと生きるのです」といって、歌ったり、踊ったりする、と宇梶さんは書く。

わたしもアイヌの国会議員・萱野茂さんのお宅にうかがったとき、アイヌの女性たちと野原を歩き、「アイヌはキノコを発見しても全部は穫《と》らない。あとのひとに残しておく」と聞いて感動したことがある。

「和人は全部穫る」とは批判されなかったが、自然と人間、人間と人間同士の共生の文化は、「コロナ後」の世界にますます必要だ。

日本人に「あっ、犬が来た(アイヌが来た)」と差別され、アイスクリームの「アイ」にさえおびえていた、という宇梶さんが「アイヌだ」とカミングアウトして、同胞と連絡を取りあい、65歳から「古布絵」(アイヌ刺繡《ししゅう》)の作者として、新境地を拓《ひら》く。「アイヌから逃げていた子どもたちが、もどってきた」。著書は喜びの報告だ。

沖縄のいのちは大事

2020年6月23日

「民主主義は全員のコンセンサスは無理だから、そのときは多数決で決めていく。決まったことに皆がそれに従っていく」

安倍晋三首相は20日、橋下徹元大阪市長のインターネット番組に出演。「憲法調査会で反対派が大騒ぎしても、多数決で決めてしまったら」と、橋下氏が早口で煽《あお》ったのにたいするコメントである。民主主義の大原則は多数決、というのが安倍首相の民主主義観で、多数決で「躊躇《ちゅうちょ》なく進める」を美学としているようだ。

が、それは短慮傲慢《ごうまん》というべきで、民主主義は少数意見をどれだけ尊重するか、熟慮と説得が基本でしょう。安倍政治が行き詰まってきたのは、数に頼り、多数で押してきたからであって、自慢の長期政権はボロボロぼろをだして、慌てて国会の幕引きとした。

閉会直前、唐突にでてきたのが、秋田県と山口県に設置が計画されていた「陸上イージス」の撤回。2基の購入費用や維持費をふくめれば6000億円、さらに改修費用に2000億円。

それも10年以上かかる、と指摘されていた不要、不急、危険、ムダ。ついに河野太郎防衛相も「間違っている」と認めた安倍外交破綻の証明。県知事や県民が猛反対し、断念に繋《つな》がった。

沖縄県知事、県議会、県紙2紙もこぞって猛反対。ムダで危険な辺野古の米軍基地建設も撤回すべきだ。「沖縄の命は大事」(命《ぬち》どぅ宝)

一通の手紙

2020年6月30日

「現在徴用工問題が政治問題化しているなかで福岡県の税金で政府の見解に反するような放送を行うのはいかがかと思います。ぜひ『中西和久ひと日記』を聴いてみて下さい」。

福岡県の人権・同和対策局に来た手紙の一部である。昨年8月に遡《さかのぼ》る。俳優の中西和久さんが九州朝日放送（ＫＢＣ）のラジオ番組で、第二次大戦中、福岡県の炭鉱で強制労働させられていた戦争捕虜や中国人、朝鮮人に言及した。それにたいして、「日本人は危険な戦場に借（ママ）りだされていた」「この番組が問題があると思われるなら番組の中止または制作者の変更をお願いします」。

と書いてきた。それを受けて、今年1月、スポンサーである県人権・同和対策局は、恒例のアーカイブ版作成のときに、中西さんに削除と再編集を要請し、契約打ち切りまで匂《にお》わした。

「行政だから政府の言う通りに動かなくては」。それが理由だった。手紙の主張である、「現在徴用工問題が政治問題化しているなかで」の、政権をバックにした異常な攻撃だ。

「人権を拡大する担当部署が人権に鈍感なのは信じられない」（中西さん）。わたしは29日、同局に電話した。新局長の田渕慎一郎氏はこう答えた。「削除をお願いするなど対応がまちがっていました。これからも番組を続けて頂くよう中西さんにお願いします」。

表現と人権擁護は運動で守られる。

兵器売買の矛盾

2020年7月7日

防衛省は退役した練習艦の操舵輪《そうだ》やパイロットのヘルメットなど、自衛隊装備品のオークションをはじめて実施する。河野太郎防衛相は「F35戦闘機の1機分ぐらいの収入を上げたい」と強調した(「東京新聞」7月4日付)。ベタ記事だったが、中古の部品を売り払って、ステルス戦闘機F35の購入費を稼ごうという、とんでもない商法。

年間5兆3000億円の防衛予算ながら、F35戦闘機のお値段は、1機120億円。それを日本は147機も押しつけられて、ロッキード・マーチン社の活況に導いている。トランプ・安倍の仲良しコンビの商法。

そのハチャメチャ大盤振る舞いのツケを、中古部品の切り売りでカバーすると防衛大臣がいうのだから、悪い冗談だ。「バイ・アメリカン」(米国製品を買おう)の自国第一主義の餌食にされていながら、もみ手のご無理ご尤《もっと》も。山口県と秋田県に設置予定だった高価な陸上イージスは、米軍基地防衛のためだった。

こんどは米軍と一体化しての「敵基地攻撃能力の保持」。そのために、巡航ミサイルの購入をこれからつづけることになる。ミサイル防衛がダメならミサイル攻撃。「盾」と「矛」の永遠の矛盾に突入しそうだ。

コロナ禍、洪水厄災で、庶民は青息吐息。雇用は不安定。売り上げ減、生活は行き詰まっている。いま生活を守る政府が待望されている。米大統領に振りまわされては、野垂れ死にだ。

未完の再処理工場

2020年7月14日

声を大きくして言うしかない。わが故郷・青森県に建設されている、県内最大の工場のことだ。建設開始から27年たったが、竣工《しゅんこう》式はまだ1度も行われていない。竣工しないからだ。

高レベル放射性廃棄物が、工場のもっとも重要な建屋に漏れでて、汚染されている。建設費は当初7000億円といわれたが、これまで3兆円をかけた「未完工場」である。

もっとも危険な核施設、使用済み核燃料の「再処理工場」は、いまのところ稼働の見通しはない。民間企業ではあり得ない話だが、税金と電気料金が無限に注ぎ込まれている。

「来年できます」「再来年には」ともう24回もウソをついてきた。3兆円ものムダな投資はやめようとの声はあがらない。日本原発行政の「扇の要」と位置づけられた「核燃サイクル」。絵に描いた餅のアンコの部分が、再処理工場だ。

この工場が運転停止になったのは、2009年。高レベル廃液をガラスと混合してガラス固化体をつくる、高さ24メートルの「ガラス固化セル」で、廃液が床上に漏洩《ろうえい》しているのが発見されて、運転停止。その危険性は福島事故後のメルトダウンで証明済みだ。高濃度汚染の「固化体セル」のなかには、だれも入れない。

住民に影響がなかったのがせめてもの幸いだった。それから今日まで停止したまま。未来もない。それでもだれも廃止を宣言しない。

ひで子と早智子

2020年7月21日

身に覚えのない罪で死刑を宣告される。声を限りに無実を訴えても、裁判所は聴く耳をもたない。ほかならぬ日本の現実だ。

狭山事件の石川一雄さん（81）は、死刑から無期懲役に減刑された。しかし、事件から57年たってなお、やり直し裁判さえ認められない。袴田巖さん（84）も逮捕から54年たった。まだ死刑囚のままだ。

「これ以上、拘置を続けるのは耐え難いほど正義に反する」と静岡地裁（村山浩昭裁判長）は6年前、死刑執行を停止し、仮釈放を認めた。ところが東京高裁はやり直し裁判を拒否、冷酷である。

18日、NHKが放映したETV特集『ひで子と早智子の歳月』は、2人の冤罪《えんざい》者の姉と妻、袴田ひで子さんと石川早智子さんの生活と友情を描いたドキュメンタリーだ。

ひで子さんが、自宅のある浜松から東京拘置所へ面会にいっても、巖さんは「おれには姉はいない」と拒絶した、ということはよく聞いていた。最高裁で死刑が確定したあと、執行される恐怖から、拘禁性障害。現実世界から乖離《かいり》している。

ようやく2人で暮らせるようになって、ひで子さんはよく笑うようになった。意識が飛んでいる巖さんの日常生活が笑いを生みだしている。無実を信じて結婚した早智子さんもよく笑う女性だ。

絶望的な、不条理の世界を生き抜き、無罪宣告を求める4人に報いたい。

未解決の政治悪

2020年7月28日

自死を遂げた夫の姿を発見して、妻は一一〇番にダイヤルした。殺されたと思ったからだ。財務省が国有地を9割引きで首相の妻と関係が深い小学校の用地として払い下げた。その経過を記録した文書の改ざんは首相夫人が登場する箇所を中心に行われた。いうまでもない、森友事件の発端だ。

赤木雅子著『私は真実が知りたい』（文藝春秋社刊）の一部は週刊誌で読んでいたが、一一〇番に電話をかけた妻の混乱ぶりが、官邸と財務省の巨大な力が公務員の1人を圧《お》し潰《つぶ》した現代日本の政治の恐怖をあらわしている。

自殺した赤木俊夫さん＝当時（54）＝は、上司の命令に応じたとはいえ、自分がやったことは「内閣が吹っ飛ぶ大罪」とおびえ、死の直前には検事に追われていると口走っていた。

雅子さんの協力をえて、夫の命を懸けた手記を共著にしたのは、元NHK記者の相澤冬樹さんである。彼は森友問題をスクープして、NHK報道局長から激怒され、退職している。

「殺された者」の想《おも》いを引き継ぐ者があらわれて、この残虐のドラマは進行してきた。

「私の夫、トッちゃんは2度と帰ってこない。でも私の人生は続く。真相がわからないままでは私の人生はリセットできない」と雅子さん。亡き夫はドラマの『水戸黄門』が好きだった。ドラマで、悪代官や悪徳商人は、かならず退治されてハッピーエンドとなった。

裏切られたマスク

2020年8月4日

安倍首相、ついにアベノマスクを投げ捨て、あらたな装いのマスクで登場した。すべての閣僚が放棄しても、ひとり孤塁を守ってアベノマスク、おそらく任期はいっぱいアベノマスクで職責を全うするだろう、と信じていた。まさか、それが裏切られるとは。

しかし、大きなお顔にちいさなマスクはいかにも危うい感じで、大丈夫かな、どこにいるのかわからないウイルスに遭遇しないのかな、との不安もあった。自分たちだけが目元まで覆う大きなマスクをかけているのが申しわけなかった。

「責任は自分にある」というのが口癖の首相の責任感、と感じ入っていたのだが、あえなく挫折した。

たかがマスクにこだわっていると、モリカケ、サクラ、黒川、さらに感染者が全国化しているのに逆ばりのＧｏ Ｔｏ トラベルの責任追及がおろそかになる。とくに危険なのは中小企業救済の持続化給付金。769億円の支給業務を電通に丸投げ契約、改めて電通との関係が明らかになった。

電通へ支払っている政府広報金は、年間予算のほぼ半分の40億円以上。改憲の国民投票がおこなわれるなら、電通中心に圧倒的な改憲宣伝がはじめられる。

この危機的状況でも国会をひらかず、むしろ緊急事態を深めて改憲のチャンスを握る作戦か。「来年9月までの任期切れまでに改憲を成し遂げたい」といまなお、安倍首相は主張している。

コピペ首相

2020年8月11日

8月15日。75年前、国民学校1年生だった。国民学校は教育勅語による、少皇国民育成のための小学校だった。軍隊駐在の町だったから、空襲に備えて強制疎開させられて、山村に移住した。ラジオの前で両親が正座して、天皇の声を聞いていた。戦争は終わった。

それから空襲や原爆、戦地での戦死や餓死、さらには日本軍のアジアでの侵略虐殺、強制連行・強制労働の歴史をすこしずつ学んできた。6月はオキナワ、8月はヒロシマ、ナガサキ。そして敗戦。死者を弔い非戦を誓う月だ。

6日。松井一實広島市長は「核兵器禁止条約」への署名・批准と締結国との連帯を深める平和宣言を発表した。9日。田上富久長崎市長も同条約の署名・批准をもとめ、日本国憲法の平和の理念の永久堅持を訴える、平和宣言を発表した。

二つの被爆地の式典に参加した安倍晋三首相は、被爆者の念願である核兵器禁止条約については一顧だにせず、「被爆者と手を取り合い、被爆の実相への理解を促す努力を重ねていきます」とまったく同文の挨拶をした。

スピーチライターがおなじだから同文になるのだろうが、手抜きのコピペだ。たまには自分の気持ちをこめて語ってほしい。信じがたいのは、その主語が「私は」ではない。双方ともに「わが国は」なのだ。国と被爆者が手を取り合えるのか。役にたたない「私」なのだ。

ギグワーカーを救え

2020年8月18日

コロナウイルスの感染拡大と猛暑で、閉塞感《へいそく》はますます強くなった。景気の落ち込みは2008年のリーマン・ショック時よりもさらに激しく、4月から6月までのGDP（国内総生産）の速報値は、年率換算でマイナス27・8％。戦後最悪の不景気になりそうだ。

身分保障のまったくない、非正規労働者や小商店主などの生活難は、すでに限界に達している。これからどうなるか。わたしもまたフリーターのひとりなので、想像するだけでも息苦しくなる。

「柔軟で多様な働き方の推進」などと称して、安倍政権は安定的な日本的雇用を「改革」という名で破壊してきた。ギグワーカー。かつての臨時工よりもさらに身分不安定な労働者があらわれた。「ウーバーイーツ」のようにバイク1台が元手、即興的に1回かぎりの仕事。雇用関係はない。必要なときに必要な量だけの仕事、ベルトコンベヤーの思想。保証はない。企業にとってこんな都合のいい労働者はいない。

商品の値段は需要と供給によって決まる。労働者という人格を商品にして、経済競争に曝《さら》すのは人権侵害である。

消費税引き上げとコロナ禍で、不況はさらに深化しそうだ。リーマンショック時の完全失業者は300万人。そのときよりも非正規労働者がふえている。このひとたちの生活を救う責任は、雇用破壊政策を進めてきた政権にある。

暗殺者のメロディ

2020年8月25日

ロシアの代表的な反政権、民主派指導者アレクセイ・ナバリヌイ氏（44）が、毒を盛られて意識不明の重体という。

東京新聞によれば、ナバリヌイ氏はメドーベージェフ前首相ら政権中枢の汚職を追及し、反政権派市民たちからは、プーチン大統領批判の急先鋒《せんぽう》として絶大な人気を誇る存在だ。

ロシアでは反政権活動家やジャーナリストへの襲撃や暗殺はめずらしくない。もっともよく知られているのは、1940年、スターリンによるトロツキーの暗殺だ。

メキシコ・シティの邸宅街コヨアカンで、亡命生活を送っていたトロツキー邸を、2度ほど訪問したことがある。四方に高い塀を巡らし、その上に望楼を備えていて、厳重警戒。要塞《ようさい》のような構えだった。

スターリン支持者たちから深夜に銃撃されたあと、妻や支持者たちとさらに警戒を強めて暮らしていても、近づいてきた暗殺者を排除できなかった。その恐怖を実感できた。

その恐怖は、アラン・ドロンが暗殺者の苦悩を演じた、ジョセフ・ロージー監督の『暗殺者のメロディ』によく描かれている。映画では延々と闘牛場のシーンが使われ、監督の牛の虐殺に熱狂する文化への批判を感じさせた。「彼は敵だ。敵は殺せ」とする政治の論理と憎悪は、日本でも治安維持法やセクト間の内ゲバなどで、つい最近まであった。

壮大なゼロの記録

2020年9月1日

安倍首相はジコチュウの代表である。退任記者会見で、「森友、加計、サクラ問題などへの批判が強かったのは、政権の私物化批判だったのではないか」との質問にたいして「政権の私物化はあってはならないことであり、私は政権を私物化したというつもりはまったくないし、私物化もしていない。まさに国家、国民のために全力を尽くしてきたつもりだ」。

まず能書きを語り、それはないと否定し、美辞麗句を並べたてて反撃する。安倍話法である。今回も「全身全霊を傾けて」「痛恨の極み」「断腸の思い」。政治は言葉だが、彼の言葉は自己防衛か、「地球儀を俯瞰《ふかん》する」など、空疎な自己美化である。相手の心に届く言葉ではない。

記憶に残るのは東京オリンピック招致のための欺瞞《ぎまん》語。「アンダーコントロール」。福島原発事故から9年半、いまだコントロールなどできていない。

「憲法改正の世論が十分に盛り上がらなかった」。7年8カ月かけても、最大の目標だった憲法改定を達成できなかった。安倍政治は小選挙区制を利用した公認権と選挙資金の分配で議員を支配、護送船団的官邸官僚と官僚支配の「内閣人事局」を駆使、憲法無視で突っ走ってきた。

最後っ屁は「敵基地攻撃能力の保有」。専守防衛を破る発言をした直後、史上最長在位の記録を達成するや、あっさり敵前逃亡。言葉への責任感はない。

一難去ってまた一難

2020年9月8日

本日8日。自民党総裁選告示。とはいってもすでに決着はついている。菅義偉官房長官勝利、と誰もが思っている。対立者の石破茂元幹事長が「詐欺まがいの総裁選」（「週刊朝日」9月11日号）と言うのだから穏当でない。

総裁当選者、すなわち日本国首相となるのだから、首相が詐欺によって選ばれた、ということになって、国辱ものなのだ。

石破氏が「詐欺」というのは、党則に定められている党員選挙を、政治的空白が起きるから、と今回はやらないということだ。国会議員票と各県連票のみで決定するとなった。

政治的空白というなら6月の通常国会閉会後、野党が国会延長をもとめても拒否して、モリ、カケ、サクラ、クロカワ、河井アンリ、さまざまな疑惑に答えず、2カ月半も記者会見を行わなかった空白が大きかった。

30％台に落ちた安倍内閣支持率は、首相の病気辞任によって上昇に転じた。「怪我《けが》の功名」というべきか。政治家はとにかく病気を隠すのが通弊だが、車列を連ねて慶応病院へ。俄《にわか》に起こった判官びいき。

「断腸」と「痛恨」。病状悪化の本人は退任劇で同情を引きつつ、憲法違反の「敵基地攻撃能力保持」に挑戦、改憲挫折のリベンジを謀る。菅総裁候補は多数派閥の支持を取りつけ、アベ政治を継承する、と明言している。泥沼政治は追い詰められ、病気辞任で同情をえて逆転、継続される。

おんぶお化け内閣

2020年9月15日

安倍晋三首相、2度目の投了。16日、不始末の総《すべ》てを「継承」する菅義偉内閣が発足する。

自民党、五大派閥談合の結果だ。それでこれから、どこの派閥の誰が、どこの大臣になったかで、報道がもち切りになるのだろうか。有権者無視のやり口だ。ミサイル防衛訓練の小学生のように、耳を塞《ふさ》いで机の下に隠れていたい。

新政権といいながらも「戦後最悪政権」の小型版、二番煎じで新味はない。安倍首相は、トランプ米大統領と約束した欠陥商品、地上配備型迎撃システム「イージス・アショア」導入に失敗した代わりに、さらに多額の資金がかかる「敵基地攻撃能力」の保持を謀る。

辞めたはずの前首相が負《お》んぶお化けのように、菅首相へだした指示だが、わざわざ記者を集めて発表したのは、自分の指導力を見せつけたい、未練のパフォーマンス。新首相には余計なお世話だ、とは言えない弱さがある。

出しゃばり過ぎだ。任期を残して退陣した男の「権限逸脱」。北朝鮮を名指しで「敵」と規定し「ミサイル防衛網を突破することを企図している」と決めつけ、自衛隊の先制攻撃を認めさせようとするのは、あまりにも酷《ひど》い憲法破壊だ。

自民党もこれまでは「専守防衛」を守ってきたのだが、安倍暴政をそのまま押し頂くだけでは、菅新政権が民主主義をさらに逆送させた、との歴史的評価を受けるであろう。

リニアの残土と核のゴミ

2020年9月22日

山梨県都留市の見学センターで、リニア新幹線が目の前を疾走するのを眺めたことがある。時速500キロ、風のように通り過ぎた、と思いきやすぐまた引き返してくるのが不思議だった。

7年後に品川――名古屋間を40分で結ぶ、というのだが、静岡県知事も抵抗していてどうなるかわからない。甚大な環境破壊になるのは「こちら特報部」でも報じられている。トンネル工事で発生する膨大な残土をどうするのか。青森県六ケ所村にもリニア残土が運ばれる、との噂《うわさ》がある。

目下、六ケ所村に建設されている使用済み核燃料の再処理工場は、建設工事開始から27年がたって、いまだに完成しない伝説的な工場である。「もんじゅ」のように廃炉宣言は時間の問題だ。

リニア新幹線は在来の新幹線の4〜5倍の電力を消費する。新潟県の柏崎刈羽原発はリニア新幹線の電力需要にあわせたものだ、と山本義隆・技術史研究家が指摘、根源的な批判を加えている（10・8「山崎博昭プロジェクト」通信）。

リニア新幹線、9兆円の建設予算のうち、3兆円を財政投融資で賄うことが、安倍前首相と葛西敬之名誉会長の間で決められた。一企業に3兆円とはハチャメチャな優遇である。JR東海の葛西氏は国鉄民営化3人組のひとり。核のゴミとリニアのゴミ。政治腐敗のツケを六ケ所村に押しつけるのか。

住民のいのち　住民の力

2020年9月29日

先週の土曜日。秋田市でちいさな集まりがあった。菅義偉新首相とおなじ秋田出身、101歳の全生涯を、歯に衣《きぬ》を着せぬジャーナリストとして全うした、むのたけじを顕彰する「地域・民衆ジャーナリズム」賞実行委員会主催。彼の五回忌にあわせた「イージス・アショア新屋配備を断念させたのは秋田の住民の力だ」とする住民運動の集会だった。

米軍の戦略に従属する米日軍事同盟下、それも国の「専決事項」と突っ張ってきた防衛省が、住民の抵抗を受けて方針を変えた。お粗末、デタラメな防衛計画が見事に破綻したのは特筆に価する。

それも安倍前首相の出身地・山口県と菅前官房長官の秋田県このふたつの県が、イージス・アショアの基地予定地。両首相の郷土を売る計画だったのは、偶然の符合か。

知事、市長、県、市議会。科学者、住民、地元紙がそれぞれに、署名、請願、陳情運動、報道に力を尽くした。辺野古基地反対運動とおなじ、ネットワーク型「オール秋田」の運動となった。自民党の「憲法改悪案」では、地方自治の力を奪うものになっている。現憲法が健在であるかぎり、地方自治条項は国の暴力を防ぎ「住民の力」と「住民のいのち」を守ることができる。「戦争絶滅を謳《うた》った憲法九条こそ、人類に希望をもたらす」というのが、従軍記者だったむのたけじの生涯にわたる信念だった。

改むるに憚《はばか》る事勿《なか》れ

2020年10月6日

首相に就任するやいなや、いきなり日本学術会議を敵にまわして人事に介入、会員候補6人の学者の任命を拒否した。菅新首相の蛮行、敵基地攻撃能力保持の欲望とセット、安倍前首相の申し送りの忠実な継承なのか。

それとも、まず最初に懲罰的な人事を強行して、異論を唱える者は排除するぞ、との見せしめ政治の初発の行使なのか。それにしてもやることが姑息《こそく》だ。これからの日本をどうするのか。コロナ禍を乗り切り、健康で文化的な最低限度の生活をどのように保障するのか。

集会、出版、言論、学問の自由を保障する民主主義の国を皆さんと手を繋《つな》いで確立させましょう、と語りかけてほしかった。ところが、悪名高いアベ政治を継承するどころかさらにひどい、公然たる言論・学問の自由を抑圧して出発。それが最初の所信表明とは、けだし日本憲政史上初めてか。

戦争のための学問を拒否する日本学術会議への挑戦から、菅内閣がはじまったのは悲しむべきことだ。もう一つの悲しさは、首相補佐官に就くと報じられている、通信社の論説副委員長が、この憲法違反ともいえる暴政を押しとどめることができなかったことだ。

この耳にするだけでも恥ずかしい学問の自由の抹殺は、世論によって修正されるだろう。その前にジャーナリスト出身の新首相補佐官は、職を賭してでも任命拒否を解除させてほしい。

恐怖の懲罰人事

2020年10月13日

今回も日本学術会議への大弾圧事件について。

6人の新会員候補者が菅首相から拒絶された。政府の学問の自由への抑圧として、世論の批判が激しくなった。菅首相は9日のインタビューで「99人分の名簿しか見ていない」と弁明した。

つまり、6人を除外する前の105人の元の名簿は見ていない。だから、誰がパージされたか、それについては知らない。よって自分の責任ではない、とする弁明だった。

しかし、5日のインタビューで、6人が（安全保障関連法等）政府提出法案に反対だったこととの関連を問われ、「学問の自由とは全く関係ない。6人についていろんなことがあったが、そういうことは一切関係ない。総合的、俯瞰《ふかん》的活動を確保する観点から判断した。これに尽きる」

語るに落ちる。「6人についていろんなことがあった」と知っていたのだ。「俯瞰的」と聞いて、安倍前任者の「地球儀を俯瞰する外交」を思いだして笑ってしまった。地球儀などちいさい、ちいさい。せめて地球と言ってほしかった。

それはともかく、学術会議会員の任命権者・総理大臣が今回のパージを知らなかった、とすれば首相の重大な職権放棄。任命権の侵害。いったい誰が簒奪《さんだつ》したのか。4年前、菅官房長官時代、3人の候補者が除外させられ、秘密に伏されてきた。いま、ようやく学会の反撃がはじまった。

それでも想いは捨てない

2020年10月20日

年間10億円も支給しているのだから政府を批判するな。菅義偉首相のわかりやすい「学術会議パージ事件」の弁明。抵抗組織は「行政改革」するぞ。その前に、批判学者6人の首級《しるし》を掲げての、血なまぐさい出陣となった。

ときあたかも「行政改革、民営化」の大先輩、中曽根康弘氏の内閣・自民党の合同葬を迎えた。加藤勝信官房長官は文部科学省にたいして、葬儀にあわせて全国の国立大学などに弔旗の掲揚や黙《もく》禱《とう》を捧《ささ》げるよう周知させよ、との文書をだした。萩生田光一文科相は待っていたとばかりに従った。

学者を支配して学問と言論を制約し、学生や生徒を内閣の行事に動員する。軍事教育と言論・思想弾圧が、日本の戦争をささえていた。その深い反省が、学術会議の基本理念であり、その弱体化が安倍継承・菅内閣の隠さざる狙いである。

わたしの世代は戦前の空気を辛うじて知っている。わがままを言って泣き叫んでいると、母親が声を潜めて言った。「憲兵がくるよ」。それでピタリと静かになったかどうかは覚えていない。憲兵隊とは軍事警察、思想取り締まり警察のことだ。

今回の学者パージ事件について「菅内閣ごとき非科学的、非学問的政権から任命を拒まれたとしても、それは研究者の名誉であり、学者冥利《みょうり》につきる〝勲章〟ではないか」というような外野からの強がりもある。が、そんな甘いもんじゃない。

核兵器禁止条約

2020年10月27日

来年1月から、核兵器は国際的に違法となる。「生きていてよかった、と大きな喜びを分かち合う日を迎えた」。この原爆被爆者の声は、世界史に残るであろう。

戦争それ自体が残虐な行為であり、日本が仕掛けた戦争だったにしても、嬰児《えいじ》から寝たきり老人まで、数十万の人びとが一瞬にして殺戮《さつりく》された、地獄的な世界を体験した唯一の国だからこそ、日本政府は核廃絶にむかう義務があるはずだ。

にもかかわらず、政府は被爆者の願いばかりか、世界の人びとの熱意による、核兵器禁止条約締結の運動に目をそむけてきた。米国の「核の傘」の下に身を置いて、「核は戦争の抑止力」の妄言を支持してきたのだ。日米安保条約に支配されているからだが、この曖昧な態度が国際的な孤立を深めないか心配だ。

菅義偉首相は「仮想敵」の核基地をミサイルで攻撃する、「敵基地攻撃能力の保持」こそが「積極的平和主義」だ、との詭《き》弁を国連のビデオメッセージで主張している。核兵器禁止条約がひろがる世界の平和運動から取り残されそうだ。

せめて、これからはじまる条約批准国による会議に、オブザーバーで参加して、国際世論を感じ取ってほしい。核の「商業利用」と宣伝された原発の、安全、安価、安定という虚言はすでに破綻した。核の軍事利用は、人類を滅ぼすだけだ。

原発依存内閣

2020年11月3日

福島原発事故の避難者の生活を見聞きするだけでも、この人たちの生活の困難さばかりか、喪失感の大きさを考えさせられる。いきなり避難を命じられ、ごく普通の日常がまったく暗転、それからもう10年ちかくも故郷を追われ、家族はバラバラ。自分の生活に置き換えてみれば、その苦境をすこし理解できる。

それでも、菅義偉首相は再稼働を強行しようとしている。その理由は、30年後の2050年、温室効果ガスの排出を「実績ゼロ」にするためという。

環境問題にまったく無関心だった安倍政権に代わって、遅ればせながら二酸化炭素削減方針を打ちだした。が、その手段に行き詰まって、原発の再稼働。毒をもって毒を制するアクロバット論法だが、つまりは原発推進。「安全最優先で原子力政策を進める」と菅氏。語るに落ちる。

世耕弘成・自民党参院幹事長は「新技術を取り入れた原発の新設も検討することが重要だ」。梶山弘志経産相は「今後10年間は再稼働に全精力を注ぐ」。事故の悲惨と被災者への想《おも》いは1ミリもない。繁栄の頭上に、髪の毛一本でぶら下がっている「ダモクレスの剣」。あるいは回転式拳銃に込められた実弾一発に賭ける、ロシアン・ルーレット。

原発の安全性もまた運任せ。避難訓練つき発電装置など、はたして人間のためなのか。核廃棄物の処理は、10万年のちまでつづく過大な負債。「原発ゼロ」を現代で決済しよう。

思想の調整とはなにか

2020年11月10日

「参った、参った、あっははっは」。東宝映画の無責任男・植木等の高笑いが懐かしい。国会の衆参予算委員会。テレビ中継をみているだけで息苦しくなった。

首相席にいて、野党議員から追及されてしどろもどろ、絶句して目をシロクロ。そばにしゃがみこんで耳打ちするお役人がいないと、なんにも答えられない。「学者いびりはもうやめた。あっははっは」と降参してしまえば、気が楽になるのに。

「政府に盾突いたから任命しなかった」。それが本音と皆が知っている。かの国の大統領のように口からでまかせの饒舌《じょうぜつ》も困るが、口をへの字に曲げた「知らしむべからず」は民主主義的でない。

首相就任直後の発言は「政府が10億円を払っているのだから」人事に介入できる、との言い方だった。このとき「総合的、俯瞰《ふかん》的活動の確保」が数回繰り返された。そのあとバランス、多様性が強調された。つまり、学術会議は偏向している、とのイメージ操作である。

5日の参院予算委員会でてきたのが「事前調整」の事実だった。3年前から政府と学術会議との間で人事の事前調整が行われていた。が「今回は調整が働かず、結果として任命に至らなかった」と首相が認めた。

排除された六人の学者は調整外、はみ出し者だ。政府が認めない学問。思想の自由とはなにか。日本の首相は答えられなかった。

沈黙の雄弁

2020年11月17日

このまま、逃げ切るつもりか。学術会議問題。コラムでなんども書くのは気が引けるが、学会の組織に手を突っ込もうとする暴政は、認められない。

選挙結果の報道をフェイクなどと攻撃していたトランプ大統領でさえ、世論に押されて崖っぷちに追い込まれている。安倍前首相も国会多数を背景にした、はぐらかしとおとぼけでは国会を乗り切れず、ついに退陣した。

現首相もまた「お答えは差し控える」とはぐらかし続けている。「朝日新聞」の調査によれば、衆参両院の代表質問と予算委員会の7日間に、この問題での答弁拒否は42回に及んだという。

戦後の学術会議の出発は、学問研究が軍部に従属していた戦前の惨状への自己批判だった。それはジャーナリストや作家もふくめた思想と表現が、戦争協力させられた反省であり、転換であり、再出発だった。

今回、6人の学者の任命を拒否した理由を、菅首相は一切語らない。その理由が6人の思想と行動であり、その忌避が憲法に違反していることを、首相自身、いちばんよく知っているからだ。

軍隊や警察に支配され、従属していた戦前には、けっしてもどらない、と決意した学術会議への弾圧は、戦前の回帰に繋がる。だまりこむ協力者、答弁拒否の沈黙がそれを雄弁に物語っている。歴史にうしろを見せず、6人を任命し、平和の道へもどってほしい。

元裁判官の涙

2020年11月24日

元裁判官熊本典道さんの死については「こちら特報部」でも取り上げられたが、死刑を決定した裁判官と死刑を宣告された袴田巌さんとの「恩讐《おんしゅう》の彼方《かなた》に」の交流は、裁判制度の悲劇だ。熊本さんは袴田さんの無実を信じていながら、世論を虞《おそ》れる裁判長を説得できず、死刑の判決を書いた。判決の7カ月後、裁判官を辞任、弁護士に転職したが、酒に溺れた。北欧を彷徨《さまよ》い、冬のフィヨルドで死のうと思った。

「『被告人立って』。主文言い渡しの直前まで無罪を信じていた、とあとで聞きました。袴田君の肩がガッと落ちて……。その瞬間から、私は石見さん（裁判長）がなにを読んだか覚えていない」

13年前、取材でお会いしたとき、熊本さんは涙を浮かべて語った。家族と離別。福岡市の木造アパート、小さな卓袱《ちゃぶ》台を前に落魄《らくはく》の一人暮らし。日弁連の会費も払えないほどながら、司法試験同期トップの面影はまだ強く残っていた。

「熊本さんを恨んでいませんか」。袴田さんの姉秀子さん（87）に聞いたことがある。「いいえ、黙っていられたのに」と不憫《ふびん》そうに言った。裁判官が誤判を告白。自分で再審を訴えるなど希有《けう》のことだ。

「熊本さんが亡くなったよ」。秀子さんが教えても巌さんは「ウソだ」と認めない。拘禁性障害はまだ重い。再審開始決定も取り消され、いまだ死刑囚のままだ。

笛吹き男

2020年12月1日

トランプは「笛吹き男」の再来か（鈴木稔）

いったい何処《どこ》へ連れて行くのか、アメリカ人ならずとも不安だった。世界をかき乱したトランプも、いよいよホワイトハウスを去るのは、時間の問題になったようだ。

歴史家の阿部謹也さんによれば、まだら模様の衣服をまとった笛吹き男が引き連れて行ったのはなんのことはない、出稼ぎ先だった。冒頭に掲げた川柳は、先行き不安な時代を象徴している。

安倍前首相が地元の後援会会員を案内したのは、新宿御苑での「桜を見る会」。焼き鳥、おでん、銘酒「獺祭《だっさい》」。すべてこれ国費の私物化。ツアー旅行での前夜祭は参加者の個人負担のはずだが、朝日新聞によると、５回分９１６万円が補塡《ほてん》されていた。ホテルの領収書の宛名は安倍さんが代表の「晋和会」だったとか。

政治家がかかった経費よりも安い会費で人を集めたら買収を疑われ、ホテル側が値引きしたのなら「違法寄付」だ。まして「政治資金収支報告書」には記載されていないのだから、脱法行為。「秘書がやった」と、安倍さん、逃げ切る算段のようだ。森友、加計、黒川検事問題、そして菅政権に「継承」された、日本学術会議への弾圧。日米権力乱用同盟。トランプはついに失墜。かたや日本は相変わらずの自民一強。

派手な「改憲笛吹き男」は去った。が、地味なむっつり首相も目を離せない。

原発廃止は自然の声

2020年12月8日

地球温暖化を口実に、菅内閣は電力会社支援の原発再稼働推進を公然と主張している。一種の火事場泥棒の類いだが、4日の大阪地裁判決は、原子力規制委員会が関電に与えた、大飯原発の設置許可を「違法」として取り消した。いわば、原発巻き返しの出ばなをくじいた。

規制委は経済産業省内に置かれていた「原子力安全・保安院」が、あまりに電力会社寄りだったので廃止、その代わりに新たに設置された。が、原子力「無規制」委員会として評判が悪かった。今回の大阪地裁判決は、関電が設定した手前みその「基準値震動」を、規制委が認めたのは「過誤、欠落、不合理」と批判する厳しいものだった。裁判所にも正義がもどってきた。これは各地での運動の成果といえる。

この感動は2014年5月、福井地裁で樋口英明裁判長の、大飯原発再稼働差し止め決定からはじまった。15年4月、樋口裁判長の高浜原発再稼働差し止め仮処分決定、そのあと大津地裁、広島高裁と差し止め決定が続いている。

そもそも避難訓練つきの工場とは、事故を前提とし、事故を許容している工場である。事故はチェルノブイリや福島事故のように、すべて回収不能、黙示録的な悲劇だ。誰が許可を与えることができるのか。日本の自然と地理的条件を無視した原発から、一日も早く撤退をすべきだ。それが自然の声なのだ。

無知の悲しみ

2020年12月15日

在日韓国人・朝鮮人は、戦後から数えただけでもう75年も日本で暮らしている。戦前は強制連行、強制労働で働かされ、現在も仕事によって日本経済をささえ、税金を支払っている。それでも心ないヘイトスピーチばかりか、暴力的に攻撃されたりしている。

高校生の学費が無償化されて10年になる。が、政府は朝鮮学校を除外したままだ。昨年10月から幼稚園・保育園の利用料が無償化されたが、これも朝鮮幼稚園は除外されている。そして、コロナウイルス感染拡大。

アルバイトがなくなって、困窮する学生たちが多発している。政府は「学びの継続」のための「学生支援緊急給付金」を創設した。が、ここでも朝鮮大学校（東京都小平市）の学生は排除されている。これだけの差別が公然とつづけられているのを知るのは、悲しい。

これから日本社会で生きていく子どもや若者たちが、ほかならぬ政府から政策的に排除されているのは、教育的にも将来に禍根を残すと思う。

衆院第一議員会館で先月末、文部科学省学生・留学生課長、朝鮮大学校の関係者、国会議員らが集まって会合が開かれた。「差別していない、排除していない、と言いながら、差別し、排除しているではないですか」とわたしも発言した。戦後教育の第一期生といえるわたしでさえ、学校では朝鮮侵略の歴史を教えられていなかった。

おかねといのち

2020年12月22日

「ゴー」といわれたと思いきや、こんどは「ストップ」という。なん十万人もの人間を旅行させて経済の活性化を図る政策だったが、コロナウイルス感染が拡大して、猫の目、朝令暮改の拙さ。

「ゴー・ストップ事件」といえば、1933年6月、大阪市北区天神橋での赤信号を無視した兵隊とそれをとがめた警察官とのいざこざ。軍部と警察との対立にまで発展したが、その頃はまだ、赤信号でストップする習慣は定着してなかった。

菅強引政治のGo Toトラベルも、感染拡大の「赤信号は怖くない」経済第一主義。おかねといのちを天秤《てんびん》にかける政策だった。たとえば、60年代後半に噴出した公害問題。経済成長の60年代は、公害の60年代だった。海や河川汚濁はひどく、水俣病やイタイイタイ病を発生させ、大気汚染が気管支炎やぜんそく患者を多発させた。

企業の儲《もう》けのために住民の健康といのちが犠牲にされた。それは企業犯罪だったが、責任を認めさせるのには、なん年もの裁判闘争が必要だった。

四日市海上保安部の警備救難課長だった田尻宗昭さんは、日本ではじめて海を汚染させた企業を刑事事件で検挙した。昔は気骨のある公務員がいた。わたしは公害企業の社員から、公害隠しの内部告発文書をもらったことがある。記事にしたら、国会で問題になり、社長が辞任した。いま原発が地域を破滅させ、住民を流浪の民にしている。政府と会社に責任を取らせたい。

正義と裁判官

2020年12月29日

袴田巌さんの再審請求裁判で、最高裁が東京高裁の決定を取り消した。その報《しら》せが支援者から会議中の携帯電話に入った。再審開始決定と勘違いしたわたしは、姉の秀子さんにお祝いの電話をかけた。「これからがんばらにゃ」と秀子さんはいつもの明るい声だった。

6年前、静岡地裁が再審開始を決定して、「これ以上、拘置を続けるのは耐え難いほど正義に反する」と断言して釈放させた。裁判官の良心は生きていた。が、東京高検が即時抗告、それを受けて東京高裁が再審開始決定を取り消した。正義はなぶり殺された。

もしも今回、最高裁が東京高裁決定を取り消さなかったら、袴田さんは死刑囚の独房に収監される。5人の裁判官のうち2人が「再審開始」の意見だった。もう1人が同意見だったなら、やり直し裁判がはじまり、無罪判決になるはずである。

袴田さんの不幸は、1カ月前、病死した熊本典道元裁判官が苦悶《くもん》の告白をしたように、一審無罪判決のはずなのに、裁判長が「死刑」を望む世論に抗しきれず、死刑判決にした怯懦《きょうだ》による。

巌さん84歳、秀子さん87歳。残り時間はすくない。2人の命あるうちに無罪判決をだし、54年におよぶ司法の故障を謝罪するのが裁判官の良心だ。検察官も誤った権力行使を反省し、ほかの冤罪《えんざい》事件の人権侵害の過ちも正して、信頼を回復してほしい。

2021年

1月	バイデン米大統領就任
	「核兵器禁止条約」の発効
2月	医療従事者を対象にした新型コロナワクチンの先行接種始まる
	女性蔑視発言問題で東京五輪組織委の森喜朗会長が辞任
4月	原発処理水、2年後を目処に海洋放出を政府が決定
7月	東京五輪開幕
8月	アフガニスタン駐留米軍の撤退後、タリバンが制圧
9月	自民党新総裁、岸田文雄氏に決定。翌10月、岸田内閣が発足
11月	オミクロン株、国内初確認
12月	森友文書改ざん訴訟で国が賠償を認め、真相解明が困難に

原発にさようならを

2021年1月5日

日本の財界を代表する中西宏明・経団連会長は年頭あいさつで、原発再稼働が進まないことについて触れたあと、「安全性やコスト面で有用な小型原発の開発を進めないと、世界から大きく取り残される」と語った。

原発産業としての日立製作所、その会長としての焦燥感が感じられる。まだ原発製造にこだわっているのだ。新型原発開発は、政府のエネルギー計画で2050年になっても原発20%、というバカげた方針とともにある。原発にキッパリ別れを告げたドイツのメルケル首相。それとくらべても詮方ないが、電力会社や重電機メーカーのトップが財界代表、その力を背景に政治力をもつ自民党政治では、人びとのいのちは粗末にされがちだ。

「私たちは、自分が生きるということに、しあわせに生きることに、もっと貪欲になるべきではないか。……生きる権利に挑戦し、迫りつつあるもの——公害はその最大の敵のひとつだ——に対して人間としてどう生きるべきか」(『四日市・死の海と闘う』)と書いた田尻宗昭さんは、海上保安庁の巡視船の船長だった。彼は海を汚染した企業を摘発し、その刑事責任を追及した。「見舞金でケリをつける」ことに反対だった。

環境汚染といっても原発の方がはるかに恐ろしい。住民のいのちと将来とを引き換えにして企業が儲《もう》ける。それが許されている社会の不思議。

あぁ、日本の民主主義

2021年1月12日

「こんな時代を見るとは思わなかった」と、なん人かの友人の年賀状に書かれてあった。同年代の感慨である。

新型コロナ禍のことではない。コロナの亀裂が見せつけた、日本政治の断層だ。前任者はコロナ禍におびえる人びとを尻目に、自宅でくつろぐ、鼻歌まじりの姿を見せつけてがっかりさせ、後任者はコロナ禍が急拡大する前夜に、「旅に出よ」「食べ歩きせよ」と国家予算から補助費をだして、ウイルスを拡散させた。

前任者は森友、加計へ利益誘導の公私混同。さくら夕食会だけで、ウソ答弁が118回。都合が悪くなると薄ら笑いを浮かべて、空疎なペラペラ。後任者は質問者を白眼視、口をへの字に曲げ「お答えは差し控える」。問答無用のだんまりを決め込む。

「自由民主」と「公明」。この美しい言葉を党名にする政党が国会多数を占めながら、いまや江戸幕府の田沼老中時代の泥沼政治と化し、日本の「民主主義」は、ますます不透明だ。なにしろ、自民党議員の4割が世襲議員。安倍・菅内閣では6割。地方政治家の子孫が家業を継ぐ封建政治。

だから、前任者は高を括《くく》ってウソ答弁を繰り返し、バレると秘書の責任にする。後任者は冷酷な表情で切り捨てる。「お答えは差し控える」。いったい、なに様なんだ。ついにコロナ対策の失政で感染者が急増、支持率は急落。無責任はいのちに関わるまでになった。

自滅の刃《やいば》

2021年1月19日

重症者９７２人（17日現在）、新型コロナ重症者は14日連続、最多を更新している。「医療崩壊」「医療破綻」の悲鳴が聞こえる。

18日の東京新聞一面トップ記事は、千葉県の感染者で治療が必要なコロナ患者のうち、入院できた人は12・５％にとどまると報じている。「コロナも救急もたらい回しが始まっており、救える命を救えなくなる状況は目前に迫っている」（横手幸太郎千葉大医学部附属病院長）との談話は切実だ。高齢者が感染して救われるかどうか。不安だ。

菅内閣の緊急事態宣言の再発出は、ゴテゴテのだし惜しみだった。彼を首相に押しあげ、その頭の上に座っている、二階俊博・自民党幹事長が、全国旅行業協会の会長を務めてきた。それが緊急事態宣言の発出の前夜まで、ＧｏＴｏトラベルを煽《あお》らせた、との情報はいまや常識。

安倍晋三前首相の人気取り策、４００億円といわれたアベノマスクの全国配給は、ムダ遣いとの批判が強く、首相を投了。敗退の一因となった。それを継承した後任者もまた、いのちと安心より経済優先。目を上げて語らない、どこか陰謀家めいた姿勢は支持率を続落させ、ついに33％。

それでいながら、政府の命令に従わなければ罰金や懲役、とコロナ対策に乗じた強権発動を検討している。アベコベだ。医療破綻、この大失政の罰は政権自滅だけで終わらせられない。

無知の刃《やいば》

2021年1月26日

ジュゴンが回遊してくる沖縄・辺野古の海。あの豊かな海にたいする畏れもなく、汚れた土砂を注いで埋め立てる蛮行が、毎日つづけられている。沖縄のひとたちが土砂を運ぶダンプカーの運転台にむかって呼びかけるのを見るのは辛《つら》い。運転手もまた沖縄のひとなのだ。

日本政府はサンゴ礁を保護する、との名目でサンゴを移植した。が、自然の摂理に反する行為だから、死滅するサンゴがあとを絶たない。どだいマヨネーズ状の海底に、七万本。長さ90メートルもの杭を打ちこむ破壊行為までして、米軍基地をつくる必要があるのか。

民家に近い、危険な普天間基地の代替といいつつ、実は米軍海兵隊とともに戦う陸上自衛隊の「水陸機動団」も常駐。奄美大島、宮古島、石垣島の南西諸島に配備されるミサイル基地の防衛に当たる。在日海兵隊司令官と陸幕長との密約が暴露された。制服組が独断で決めた文民統制違反だ。

沖縄のひとたちは、日本軍の基地の存在によって、どれほどの悲惨を嘗《な》めたか、と訴えている。高江、辺野古、宮古島、石垣島、与那国島。あらたな基地建設に抵抗する人びとの戦時中の恐怖の体験を、わたしは聴いてきた。

菅首相は平然と沖縄県民の抵抗を、無視し続けている。「私は戦後生まれなものですから、歴史を持ち出されたら困りますよ」というのが、翁長雄志知事への拒絶の言葉だった。

未来のエネルギー

2021年2月2日

「原子力明るい未来のエネルギー」(大沼勇治)

1987年に小学6年生がつくった標語だ。福島県双葉町の小中学生の宿題だった。以下の2本が最優秀賞となった。

「原子力郷土の発展豊かな未来」

「原子力夢と希望のまちづくり」

しかし双葉町の商店街の入り口、道路の上を横断する巨大な看板に大書されて掲げられたのは、優秀賞だった大沼勇治さんの「明るい未来」だった。

横16メートル、縦2メートルの大看板は、国の「広報・安全等対策交付金事業」の一環として建設された。この種の標語が「戦意昂揚《こうよう》」に利用されたのは、戦争がはじまった頃、大政翼賛会が採用した「欲しがりません 勝つまでは」以来であろう。

福島原発事故のあと、看板は撤去された。大沼さんは署名運動で保存を訴え、廃棄を止めた。

「繁華街であれほどの大宣伝をしていても、結局、大事故に遭った無念を伝えたい」

との想《おも》いからだ。利用された、との苦い想いがある。

この苦渋の看板は、今回、双葉町の「原子力災害伝承館」に掲げられることになった。

「大勢の人があの下をくぐって行った。その実感を味わえるように、実物を当時のまま再建してほしい」と大沼さんは話す。

ゴミ車とともに

2021年2月9日

亡くなった、との報《しら》せがあってから、3日目に対面できた。遺体はビニールに包まれていて顔を視《み》るだけだった。東京郊外の老人保健施設で新型コロナウイルスが集団発生、入院できず死亡した友人の最期についての、お連れ合いの話である。

入所とほぼ同時に新型コロナウイルスが上陸して、面会できないままほぼ1年がたっていた。その間に会えたのは、病院へ行くときにたちあった、2回だけだった。施設に電話をかけて呼びだして話し合うだけ。最近では認知症が進んで会話もままならなくなっていた。

金高毅さん。享年79。老健施設でのコロナ感染死のひとりである。大卒後、清掃労働者の労働運動に共感して、定年までゴミ車に乗っていた。大学の後輩としての縁があって取材。「ゴミ車とともに」のタイトルで記事を書いたことがある。

大卒で労働運動家になるのはいまでは珍しくない。「話のわかる」労組幹部として、経営者から安心されている労働者代表が多い。が、金高さんは現場にこだわり続け、豊かな体を揺すりながら、ゴミ袋を回収するため、ゴミ車とともに走っていた。

「ゴミ車は幼児には人気があるんですよ」と彼が笑顔でいったことがある。が、小学生になると鼻をつまんで、傍らを通り抜けたりする。社会的に重要な仕事。だけど差別されている。その差別解消が念願だった。

書くことの意味

2021年2月16日

死者の数をかぞえあげても仕方がない。一人ひとりの死が、それぞれの悲劇なのだから。それでも世界ですでにおよそ240万人。中国の作家・方方は「非業の死」(『武漢日記』)と書いた。原文もそうなのだろうか。

非業は思いがけない災難による死(広辞苑)だが、新型コロナウイルスの流行は予測された拡散、怯《おび》えながら犠牲になる死である。大量の死者には、政治の暴力性が絡みついている。アメリカ約50万人の死者は、トランプ前大統領の横暴と無関係ではないであろう。ひるがえって日本では、ウイルスのまっ只中《ただ》へのGo Toトラベル、信じがたい悪政だった。

非日常とはいえ、やはり細やかに日常生活を記録した『武漢日記』は、スベトラーナの『チェルノブイリの祈り』に匹敵する、悲劇が生みだした貴重な歴史の記録である。

「ある国の文明度を測る唯一の基準は、弱者に対して国がどういう態度を取るかだ」と彼女は書いている。ロシアも中国も弱者を救うための革命だったはずだ。方方は敢然として「際限のない形式主義」としての、官僚主義にたいする批判を、ブログに書き続けた。その使命感はすがすがしい。「雌鶏《めんどり》のように歴史に見捨てられた事柄や、社会に冷遇された生命を庇護《ひご》する。彼らに伴走し、温《ぬく》もりを与え、鼓舞する」。それが書くことの意味だとすれば、怖いものはない。

地震と原発

2021年2月23日

「天災は忘れた頃にやってくる」

人口に膾炙《かいしゃ》しているこの警句は、作者と言われている寺田寅彦の著作物には見当たらないそうだ。(『岩波ことわざ辞典』)。福島原発の連続爆発事故は天災ではない。地震を甘く見た東京電力幹部による人災といえる。

事故から来月11日で10年を迎えるが、10年たっても忘れるどころか、精神的、経済的被害はいまなおつづいている。この大被害を引き起こしたのは、マグニチュード9・0だったが、先日の大地震はマグニチュード7・3。あのときの余震だそうだが、まだまだ続くという。

いまは「天災は忘れないうちにやってくる」頻度で、地震が発生している。震源地はおなじ福島県沖だったが、幸いなことに震源の深さが55キロ。あのときの24キロには及ばなかったので、大津波が発生しなかった。それが救いとなった。

福島県10基、宮城県3基、青森県1基と核燃料再処理工場、ともに廃炉と運転休止中だった。だが、日本列島の海岸沿いに立ち並ぶ原発や核工場の姿を想《おも》い起こすと、恐怖に駆られる。

日本の歴史は大地震と大海嘯《かいしょう》(津波)の歴史だった。にもかかわらず、原発などの核施設を60基ほども建てた政府と電力会社の誤算がいま問われている。二度と大事故の悲劇に遭わないために、再稼働はやめて撤退、はやく廃炉作業をはじめるときだ。

安全な捨て場

2021年3月2日

ドキュメンタリー映画『100000年後の安全』は、フィンランド・オルキルオト島の地下420メートルに建設中の、使用済み核燃料の最終処分場、オンカロをテーマにした作品だった。10万年たってなお核廃棄物は安全かどうか。やがて氷河期が来たときどうなるか、などの問いかけに圧倒させられた。人類は自分の世代では解決できないものをつくってしまった、と映画館を出ながら思わされた。

スイス在住の英国人核物理学者とスイス人の映画監督が、高レベル核廃棄物の最終処分場をもとめて旅をする記録映画『地球で最も安全な場所を探して』もまた、見終わったあと、重苦しい気分にさせられる作品だ。

アメリカで原爆用のプルトニウムを精製したハンフォード・サイト、ドイツのゴアレーベン、スウェーデンのエストハンマル、オーストラリアのオフィサー盆地、青森県の六ケ所村など、最終処分場の候補地や核施設のある12地域を訪ね歩くのだが、安全地帯は見当たらない。いま日本では北海道の寿都町《すっつちょう》と神恵内村《かもえない》が最終処分場候補に手を挙げたが、どうなるか。

物理学者と監督は世界をまわったあと、中国のゴビ砂漠に到達する。エンドロールが目路《めじ》の限りつづく砂漠が、ロングショットで延々と映しだされている。それを視《み》ていると、あぁ、どこにもないんだ、との絶望感にとらわれる。

ダメなものはダメ

2021年3月9日

原発はもういらない、という人が76％、また深刻な事故が起きると感じている人が90％を占める。日本世論調査会が実施した調査の結果だ。福島第一原発事故から10年、危険を感じながらも、原発がなくなると電気がたりなくなる、地球温暖化に必要、地元経済に役立つ、と考えている人たちが24％ほど。

広島、長崎、第五福竜丸。三度も被爆を体験しながら、地震多発の日本列島に54基も建設、「原発大国」になったのは、アイゼンハワー米大統領の国連演説「アトムズ・フォー・ピース」の影響が大きい。そのあと、濃縮ウランと原発の売り込みがはじまった。

「平和」は「商業主義」にまぶした偽装語だった。それに「絶対安全」「安い」「クリーン」が上塗りされた。福島事故の惨事がそのすべての虚飾を剝《は》ぎ取った。が、いま10年を節目にして、政府や財界は「脱炭素化」の流れに、原発再稼働を紛れ込ませようと腐心している。

10年たっても、事故や津波で自宅を追われた福島のひとたちの3万5000人以上が避難したまま。燃料デブリは取りだせない。廃炉作業は進まない。核廃棄物の捨て場はない。使用済み核燃料再処理工場の完成の見通しは暗い。それでも老朽原発を動かそうとするのは、集団的自殺行為だ。

脱原発を宣言したメルケル首相の叡智《えいち》と英断。政治家の倫理性が問われている。

東北の鬼

2021年3月16日

「私たちはいま、静かに怒りを燃やす東北の鬼です」。

福島第一原発事故から半年後、10年前の9月、東京・明治公園での「さようなら原発六万人大集会」。福島から参加した武藤類子さんの言葉「鬼」に東北出身のわたしはハッとさせられた。蝦夷(エミシ)。中央政府から「征伐」された民の後裔《こうえい》だが、普段は意識していない。

武藤さんは原発事故によって、阿武隈山系の森の中での、自然とともに暮らしてきた生活を一瞬にして奪われた。その怒りを岩手県北上地方の激しい踊りと祈りの「鬼剣舞《おにけんばい》」に託して発言した。

馬の尻尾でつくったたてがみを、頭に載せた鬼の踊りには、激しい怒りばかりではない、悲しみと悔恨と絶望が入り交じっている。最近、武藤さんが上梓《じょうし》した『10年後の福島からあなたへ』にはこう書かれている。

「ますます困難を極める福島の中で冷静さと明晰《めいせき》さを持ち、熟成した熾火《おきび》のような怒りを、私たちの生きる尊厳を奪うもの、命を蔑《ないがし》ろにするものにたいして、ぶつけていかなければなりません」

東京電力の刑事責任を問う「福島原発告訴団」の団長などで、武藤さんは多忙な日々を送っている。「原発事故の責任と真実を明らかにして、その教訓をしっかりと伝承すること」。それが裁判の意味だが、原発はその存在自体に秘密と不正が多すぎて、継承不能だ。

原発と避難

2021年3月23日

焔《ほのお》炎々　波頭を焦がし　煙濛々《もうもう》　天に漲《みなぎ》る　天下の壮観　我が製鉄所

八幡製鉄所（現日本製鉄）によって発展した八幡市（現北九州市）の市歌。煤煙《ばいえん》は街の賑《にぎ》わいを表していた。黒い海と灰色の空。子どもたちの絵に碧《あお》い色はなかった。

ようやく公害が規制されるようになったのは１９７０年。翌年、環境庁ができ、海や空を汚染すると罰されるようになった。ところがいま１００万トンともいわれる福島原発のタンクにたまった核汚染水が、海に放棄されようとしている。原発は最大の公害企業だが、国がそれを支持している。

「被告は東海第二発電所の原子炉を運転してはならない」。日本原電の運転差し止めをもとめる住民の訴えにたいする、18日、水戸地裁前田英子裁判長の判決主文である。

半径30キロ圏内に住む、94万人を対象とする避難計画と実行体制が「整えられているというにはほど遠い状態であり、同区域の原告らには、人格権侵害の具体的危険がある」との判断だ。14年5月「国土を汚染することこそが国富の喪失」として大飯原発の再稼働を止めた、福井地裁・樋口英明裁判長の英断につぐ原発批判である。

原発事故を前にして安全な避難などありえない。避難訓練が必要な運転計画ほど人権無視はない。運転を推進するのは危険な政府だ。公害を礼賛していた時代の政府とおなじ遺物だ。

ヘイト裁判

2021年3月30日

沖縄・東村《ひがしそん》高江の米軍ヘリパッド建設反対運動を、東京MXテレビの「ニュース女子」が「武闘派集団」「テロリスト」と決めつけたのは四年前だった。

運動に参加した「のりこえねっと」共同代表の辛淑玉《シンスゴ》さんを愚弄《ぐろう》するように「韓国人はいるわ中国人はいるわ」「反対運動を扇動する黒幕の正体は?」とやった。

辛さんが制作会社DHCテレビジョンと司会者を名誉棄損《めいよきそん》で訴えた裁判は6月9日に結審する。親会社は化粧品、健康食品大手のディーエイチシー。同社のホームページには「サントリーのCMに起用されているタレントはどういうわけかほぼ全員がコリアン系の日本人です。そのためネットではチョントリーと揶揄《やゆ》されているようです。DHCは起用タレントをはじめ、すべてが純粋な日本企業です」とある。

署名は創業者・吉田嘉明会長。DHCテレビ会長でもある。従業員3000人の企業が、極端な差別表現を批判されながらも、いまだ撤回していない。

高江の基地反対運動への誹謗中傷《ひぼうちゅうしょう》を問題視する「沖縄への偏見をあおる放送をゆるさない市民有志」は、東京都の人権審査会に、番組は「ヘイトスピーチ」だとして訴えている。審査会は関東大震災のとき、在日朝鮮人が大量に虐殺された事実を否定する「日本女性の会　そよ風」の集会発言を、ヘイトスピーチと認定している。「純粋主義」は危険だ。

未来への責任

2021年4月6日

地震大国でもあるにもかかわらず原発54基、ふげん、もんじゅ、使用済み核燃料再処理工場など日本列島に並べ建て、さらに目下建設中がまだ3基。自然と人間に大打撃を与えた大事故を発生させても誰も責任を取ろうとしない「原発無責任国家」。原発立地地域に逃げ場がないと、水戸地裁が東海第二運転差し止め命令。脱原発への号砲となろう。

原発は10万年後にも厄災がおよぶ、出口なしの錯誤だ。破壊されたフクシマ３基の燃料デブリは８８０トン。いつ取り出せるかわからない。「使用済み核燃料は再処理する」というのだが、六ケ所村の工場の試運転は２００９年に事故で停止、復旧の見通しはまったくない。

結局、核廃棄物の最終処分場の候補地として、北海道の寿都町《すっつちょう》と神恵内村《かもえない》が暫定的に挙げられている。いくつかの候補地を示す陽動作戦は、推進側の常套《じょうとう》手段。反対派の当面の運動課題はとにかく原発廃炉だ。が、その後にも責任がある。

地球科学者で京大元総長の尾池和夫さんは、「核のゴミ」を「人類最大の負の遺産」といい、南鳥島への「格納」を提案。本州から１８００キロメートル、面積１・５平方キロメートルの小島だ。マグマ活動が完全に終わっており、「世界で最も安定した海洋プレート上にある日本国土」「唯一の期待できる選択」との折り紙付き（学士会会報、20年3月）。政府がこの事実を知らないはずはない。

処理水と風評被害

2021年4月13日

福島第一原発構内、千基におよぶタンクに溜《た》まった「高濃度核汚染水」はすでに125万トン。それを「処理水」と改名、「浄化水」のようなイメージに変異させ、太平洋に放出する方針が、今日の閣議で決定される。

多核種除去設備で処理しても処理しきれないのが「トリチウム」（三重水素）。が、「外部被ばくはほとんど発生しません」（資源エネルギー庁ホームページ）と強弁する。「トリチウムが染色体異常を起こすことや、母乳を通して子どもに残留することが動物実験で報告されている」（西尾正道『被曝インフォデミック』）。世界的にも原発周辺で小児がんや小児白血病発生の報道がある。

原発廃棄物の投棄は、巨大な環境破壊である。トリチウムを海洋投棄することを前提に建設された六ケ所村の核燃料再処理工場は、1日で原発1基の1年分を排出する。希釈すれば無毒化できるとは、巨大な欺瞞《ぎまん》だ。

菅政権のトリチウムの放流決定は、目下、行方不明の燃料デブリとともに原発推進のデッドロックである。この放流によって、またも魚が売れなくなる風評被害が強まる、と漁民は憤激している。

風評とはあらぬ噂《うわさ》のことだが、トリチウムは厳然と存在する猛毒物質。発生源の東電がタンクを増設・保管するのが自己責任。閣議決定は国際的な犯罪行為だ。本日12時、首相官邸前で抗議集会。

危険な国、にっぽん

2021年4月20日

世界で最初。バイデン米大統領からお声がかかって、さっそく国境を越えて訪米。菅首相がワシントンから帰ってきた。安倍前首相がトランプ大統領に呼ばれたときは、日本の防衛産業がたち行かなくなるほどの、米製兵器を押し付けられた。

ところが、陸上イージスは候補地の反対を受けて設置できず、あらたに搭載艦2隻を建造して収納する泥縄、ムダ遣い（7000億円）。F35ステルス戦闘機はA型、B型あわせて、147機。6兆6000億円。これで押し売りトランプの覚えめでたくなった。

ところが、こんどはさらにバイデン大統領と「日米同盟の強化のための防衛力強化」の共同声明。沖縄・先島諸島にはすでに自衛隊のミサイル基地が建設されている。今回の軍事力強化の再度の確認によって、「台湾海峡有事」を想定した、米軍と自衛隊の合同演習がはじまる。大量契約した米製兵器を実際に使う、「安保法制」下の海外派遣や敵基地攻撃は絶対に認められない。

帰国そうそう菅首相は米ファイザー社のワクチンを9月までに大量輸入できると手柄顔だが、もしも東京オリンピックがあったとしても、それはオリンピックのあとになる。

いま、コカ・コーラ、トヨタなどの宣伝カーを先頭に、聖火リレー隊が街を走っている。ミサイル、コロナ、地震、原発再稼働。そして核汚染水の放流。日本はなんと危険な国なのだ。

人間は自然の一部だ

2021年4月27日

たまたま、生命誌研究者・中村桂子さんの講演を聞く機会があった。「地球上の全生物は祖先を一つにする仲間であり人間（ヒト）もその中に含まれる」「現存の生物はすべて38億年の歴史をもつ」「人間は生き物であり、自然の一部である」

長い時間と多様な生き物たち。この広い視野から、わたしは自分を見直すことはなかった。「万物の霊長」などと威張り、自然を征服するなどといって、破壊してきたのが人間の歴史だ。微細な生き物への愛《いと》おしい視線が、石牟礼道子さんの作品と重なる。さっそく、『中村桂子コレクションⅢ　かわる』を入手した。

「傍若無生物」という言葉があった。「傍若無人」のように、ほかの生き物にたいして、勝手に振る舞う行為は、自然という仲間を失う。原発事故、新型コロナ、二酸化炭素の増大などの元兇《げんきょう》だ。「原発は絶対安全」「原発では事故が起きない」。なぜこの技術だけがけっして事故が起きない、といい切ってきたのか。科学者、技術者が自分も生活者としての視点で、自分が関わる科学や技術を評価せず、その被害者のことを考えていなかった。

効率一辺倒は、生きものには合わない。生きるということは過程そのものであり、結果だけをもとめることは、いのちをないがしろにすることにつながる。いま、差し迫った状況だからこそ、中村さんの主張が耳に入りやすい。

きみが死んだあと

2021年5月4日

長編ドキュメンタリー映画『きみが死んだあとで』(代島治彦監督)は、1967年10月、東京・羽田弁天橋で、佐藤栄作首相南ベトナム訪問阻止のデモの隊列にいて、機動隊に攻撃された、京大生山崎博昭の死から始まる。それから50年余りの、若者たちの記録である。

山崎の死について証言する同級生たちは古希を超え、老境にある。が、山崎は18歳のままだ。「死者はいつまでも若い」は、ドイツの作家、アンナ・ゼーガースの小説だが、この3時間を超すインタビュー構成を見ながら、わたしは闘争のまっただ中で殺害され、青春を中断させられた若者たちのことを想い起こしていた。

詰め襟の学生服を着た、山崎の生真面目な表情がことさら悲劇性を強めている。生きていればどうしていただろうか。彼の死の7年前、60年6月、安保反対闘争の国会デモで、東大生樺美智子が機動隊に殺害された。

68年、東大闘争がはじまり、「連帯を求めて孤立を恐れず」がスローガンとなり、日大闘争など、全国で全共闘が一斉にたち上がった。77年5月、三里塚(成田)空港反対闘争は、学生と農民との共闘だった。機動隊が催涙ガス銃を水平撃ち、直撃を受けた27歳の東山薫が死亡した。

ひとびととの連帯をもとめて亡くなった、若者たちの生と死の物語は、新しい時代の運動を切りひらく教訓に満ちている。

ちいさな弾圧事件

2021年5月11日

憲法記念日の5月3日、国会前集会がはじまる前、参加しようとした市民が機動隊員に阻止され、腕を振り払っただけで「胸に手が触れた」として現行犯逮捕された。公務執行妨害の容疑である。

その時、わたしは現場にいなかったが、いままでなんども国会前集会に参加するとき、機動隊員に阻止されたり、迂回《うかい》を命じられたりした。が、「主催者だ」と抗議したり（本当のことです）、一般通行人のカオをして通り抜けてきた。

今回逮捕されたのは全国一般労組東京南部の役員。だからか、翌朝、自宅へ6人もの捜査員が到着、徹底家宅捜索、パスポートまで押収した。重大犯罪あつかいで10日現在、まだ勾留中である。

このような些末《さまつ》な「事件」で、逮捕、家宅捜索、1週間にわたる勾留は異常だ。内田雅敏弁護人は「証拠隠滅、逃亡のおそれなどを具体的に検討することなく、漫然と認定して勾留したのは、許せない」と抗議している。

安倍・菅内閣が長期化するにつれて、治安対策が厳しくなってきた。自分の身内には甘く、批判者に厳しいのは暴政である。

表現・集会の自由と個人の人権尊重は、平和憲法をささえる基本精神だ。関西での生コンクリート労組への不当労働行為、逮捕権の乱用、幹部の600日以上の長期勾留などは、憲法違反といえる大事件だ。集会、デモの弾圧、人権侵害は忍び寄る戦争といえる。

追悼記

2021年5月18日

世を去ったばかり。装丁家・平野甲賀のエッセー集を読んでいて「美しい女優と醜い政治家。それらが入り乱れて、創作のモチーフとなる」とあって、新鮮に感じた。「醜い政治家」などというマンガチックな表現が、妙に時代にあっているからだ。

といって、あたかも封建時代の領主のように、地方を地盤として国会議員に成り上がった自民党二世、三世議員の頽廃《たいはい》や支持率急落の内閣について書きたいのではない。

平野甲賀は同い年で、40年来の付き合いだった。会ったころから悠揚迫らざる大人だった。彼の変種株のような、強烈な描き文字を組み合わせた表紙カバーで、拙著を20冊以上、ドラマチックに飾ってもらった。40代の10年ほど、やはり同年の作曲家・高橋悠治や評論家の津野海太郎などと月1回、小冊子「水牛通信」を発行していた。

そのこともあって、先日、高橋、津野と集まって追悼した。平野が亡くなる20日前、小説家の小沢信男さんが他界した。私たちより11歳上、93歳だった。若いとき肺を患っていたこともあってか、この3年ほど酸素ボンベを曳《ひ》いて歩いていた。

2年前、横浜市の神奈川近代文学館でひらかれた、「花田清輝展」にご一緒した。みすず書房のPR誌「みすず」が到着すると、さっそく、わたしは表紙裏の連載コラム「賛々語々」を読み、お元気なのを確認してきた。が、4月号から書き手が代わった。

おもてなしの裏側

2021年5月25日

東京五輪では「おもてなし」などといいながら、この国はなんとアジアの人びとにたいして酷薄なのか。スリランカから日本に留学していたウィシュマ・サンダマリさんが、留学ビザが切れただけで「不法残留者」として、名古屋出入国管理局に収容されていた。1月下旬から嘔吐《おうと》を繰り返していたが、仮放免も認められず、適切な治療もなく3月上旬、死亡した。

「姉は大好きな国で亡くなるなんて思いもよらなかったでしょう。姉のように亡くなる人が二度とでないようにお願いします」。5月、スリランカから来日した妹さんの、涙ながらの挨拶である。

日本の入国管理の冷酷さは国際的に有名で、今国会の土壇場で廃案になった出入国管理法改正案は、国連人権理事会が任命する特別報告者から国際人権基準を満たしていないと指摘されていた。

2019年6月、長崎の大村入管での長期収容、抗議のハンストでナイジェリア人が餓死した記憶はいまだ鮮明だ。

かつて、先祖が中国や朝鮮を武力侵略した遺伝子というべきか、日本人には、いまなおアジアへの差別意識が強いのだが、政府はそれ以上だ。

現在の、日本の入管の収容制度は、在留資格がない外国人は、裁判所の令状がなくても全件収容、それも無期限。さらに強制送還できるように改悪する、国際的な恥辱法案があったが、ウィシュマさんの非業の死の波紋によって、廃案になった。

ほめ殺し

2021年6月1日

5月30日「朝日新聞」一面トップ。「ワクチン出遅れ　首相直談判」「『とにかく確保』CEOと会談」。二面全面にも記事は続く。人を驚かせるには十分だった。

日米首脳会談でワシントンに出かけて行った菅首相、バイデン大統領と一対一の会談は20分だけだった。このとき、米製薬会社ファイザー社のブーラCEO（最高経営責任者）に、電話でワクチンを分けてほしいと依頼した、との報道だが、これはすでに周知の事実で、一面トップを張るようなものではない。

「首相直談判」の舞台裏を側近や前駐米大使の証言でまとめた記事だが、米国まで出かけて行きながら、製薬会社のCEOに五分だけの制限つきで、それも電話で話すことが許され、ようやく分けてもらった、という成功譚《たん》。恥ずかしい。日本の首相も軽く見られたものだ。

安倍前首相も菅首相も、今年前半までにはすべての国民に行き渡るようにワクチンを確保する、と公言していた。ところが日本での2回接種者の割合は、2・4％（5月27日現在）と世界の主要国でも17番目。

高齢者が接種の予約を望んでも、電話もインターネットも通じない。全対象者に供給できるのは、東京五輪後の9月といわれて不満が高まっている。安倍政権は驕慢《きょうまん》に倒れ、菅政権は混迷を深める。直談判の「下交渉」を進めた、河野太郎ワクチン担当相の〝大活躍〟が隠し味か。

いまからでも遅くはない

2021年6月8日

それでも菅政権、東京五輪に突進しそうだ。「人類がコロナに打ち勝った証《あかし》」と大言壮語。橋本聖子大会組織委員会会長は「レガシーとして残す」というのだが、コロナウイルス猖獗《しょうけつ》下。だれも無事に済むとは思っていない。

菅首相得意の「安全安心」の強弁は、原発政策とおなじ「危険不安」の言い換えである。多少の犠牲があっても既定方針は変えない。商機拡大を狙う大スポンサーの期待がこめられているからだ。しかし、国民のいのちの保証はまったくない。

「東京五輪本土決戦」とわたしは書いてきた。NHKのトップニュースは、毎日、自衛隊が設営した大会場に行列する、ワクチン注射風景。一億総動員。子どもの頃にみた、襷《たすき》がけした婦人会のバケツリレーでの防火訓練や長兄が庭に防空壕《ぼうくうごう》を掘っていた光景を思い出した。といいながら、わたしもワクチン注射第一回を受けた。防空頭巾よりは効きそうだ。

政府分科会の尾身茂会長が「開催は普通ではない」というのは、「尋常の沙汰ではない」の婉曲《えんきょく》話法。急降下した支持率を五輪の喝采でたかめようとする、首相の邪念の犠牲にはなりたくない。

いま五輪中止、延期を望む声はまだまだ多い。この際、急転直下の中止宣言。人気挽回のウルトラ戦法がある。もしも「本土決戦」で死者が発生したなら、戦犯はバッハ会長か、ウソで誘致した安倍前首相か。やはり菅首相であろう。

監視国家への道

2021年6月15日

怒濤《どとう》をおさえて聳《そび》え立つ　朝鮮海峡制扼《やく》の　務めは重し、わが対馬

　朝鮮半島に近い、対馬要塞《ようさい》重砲兵連隊の連隊歌の一節である。対馬は戦時中「日本第一の要塞地帯」（大西巨人『神聖喜劇』）といわれていた。

　大西の小説は、軍隊内での補充兵の抵抗を詳述した力作長編だが、軍隊内がばかばかしい規則に支配されていたように、塀の外もまた「要塞地帯法」や「建設物制限規則」や「軍機保護法」などに制約された、不条理な厳戒態勢にあった。

　たとえばその地域では住宅の新増設工事は禁じられ、写真撮影は論外、子どもたちの写生も取り締まりの対象となり、地図の作製などはスパイ扱いだった。

　突如として菅政権が持ちだしてきた「土地規制法案」は、米軍基地や自衛隊基地、さらには原発などの周辺に「注視区域」や「特別注視区域」を設定し、建物の所有者や賃借人を調査・監視する治安立法である。沖縄「やんばるの森」でチョウ類を研究している宮城秋乃さんが、家宅捜索を受けた事件（10日付「こちら特報部」）は、本人と面識があるだけに、戦時中のような、市民への軍事・警察組織の横暴がはじまった、と恐怖を感じさせる。当面は沖縄と南西諸島が、ターゲットか。

　行政効率化をうたうDX（デジタル化）を強行、土地規制法で監視と罰則を強化した。歴史に逆行する菅政権は嫌だな。

遺骨と基地建設

2021年6月22日

沖縄戦で戦死した兵士や住民の遺骨が、沖縄辺野古の米軍新基地建設の下敷きにされる。想像に絶する歴史の悲劇がはじまろうとしている。

全島戦場となった沖縄で各地から召集された兵士が戦死した。未発見の遺骨が多く混じっている沖縄南部の土が、こんどは米軍基地建設に利用される。遺族にとってどれほどの悲しみであろうか。

あす23日は、米軍に追い詰められて沖縄南部に敗走した、大日本帝国陸軍第32軍の牛島満司令官と長勇《ちょういさむ》参謀長が自決、住民の4人にひとりが殺された戦争が終結した「慰霊の日」。

会場の「平和の礎《いしじ》」がある糸満市の沖縄県営平和祈念公園で、遺骨収集ボランティアの具志堅隆松さんがいま、3月に続くハンストを実施している。県知事は辺野古基地建設の設計変更を認めず、「遺骨混じりの土砂を使わせない」と明言してほしい、との要請である。

1960年代に米軍によって計画された。が、ベトナム戦争による米軍の財政逼迫《ひっぱく》で中止となった曰《いわ》くつきの基地。その後、日本の資金で建設されることになったが、米シンクタンクでも「完成する可能性は低い」とされてきた。海底がマヨネーズ状の軟弱地盤、総工費も当初の3500億円の約3倍以上になる見通しになっている。

国家のために死んだひとたちが野ざらしにされて放置、時代が変って米軍基地の人柱にされる。その無念さを共感できないのは恥ずかしい。

いまからでも遅くない

2021年6月29日

小田急線・下北沢駅近くに住んでいたのは50年ほど前だ。昨日、2、3年ぶりに降り立ち、景色が一変しているのに驚嘆した。まるで別の街になっていた。

「ザ・スズナリ」で、別役実の戯曲四編を劇団「燐光群《りんこうぐん》」が、坂手洋二の演出で一挙上演するのを観にいった。ところが、2度も道を聞くほどに迷い、開演時間に遅れてしまった。

若い人たちがいっぱい歩いていたのだが、わたしはまるで不条理の迷路を彷徨《さまよ》っているように焦っていた。息を切らしてたどり着いた劇場はすでに真っ暗で、係員のちいさな懐中電灯で誘導されながら、穴蔵に堕《お》ちて行くような感覚だった。

劇作家の坂手洋二が選んで演出した世界は、別役実特有の、日常に紛れ込んでくる不思議や不条理な事件というようなテーマである。そのなかの一編「この道はいつか来た道」は、ホームレスになった男女が路上で出会い、おなじゴザの上に座り込んで話し合うようになる。

話し合っているうちに、おなじホスピスから逃げだしてきたもの同士とわかる。20年以上前の作品だが、いままたホームレスがふえだしている時代に、切実である。

タイトルは、北原白秋・山田耕筰の「この道」からの引用で、舞台にはその歌が低く流れている。しかし「いつか来た道」は、あかしやの白い花が咲いているようなのどかな道ではない。憲法九条を失う道のようなのだ。

Go To 五輪の行く末

2021年7月6日

まるで坂道を転げ落ちるように、五輪開会式にむかっている。危険、不安と反対論が多数を占めても、菅首相、無感動な表情で「安全、安心」を呪文のように唱えるだけ。「聖戦」「撃ちてし止《や》まむ」「本土決戦」。現実無視の精神主義が、かつて全国で米軍の空襲を招き、原爆で止《とど》めを刺された。その反省がまったくない。

菅首相のいう「安全」の根拠はなにか。1日100万回のワクチン接種。猛然と自衛隊に号令をかけて、急遽《きゅうきょ》、大規模接種会場を開設したが、肝心のワクチンが足りなくなった。すべてゴテゴテの失政にたいして不安感が高まっている。が、なにを言ってもムダだ、とのあきらめも出はじめている。中止論に聞く耳をもたず「無観客にしたら」との警告も、観客上限5000人などの姑息《こそく》さで乗り切る算段のようだ。

コロナウイルスが顕在化してからこの2年間、政府はPCR検査をサボっていたが、とどのつまりはワクチンを買いあさって周章狼狽《しゅうしょうろうばい》、自衛隊員出動となった。が、いまだ二度の接種者は1割強。そこへパラリンピックと合わせて45日間、9万人が海を渡ってくる。

今日のニュースでは、会場上空に監視カメラを搭載したアドバルーンがぶら下がる厳戒態勢。コロナ対策に協力しない外国人は参加資格剝奪、国外退去。とにかく開催すれば内閣支持率が上がりIOCにはカネが入る算段。麻生副総理のいう「呪われた五輪」にならないか。

非正規の希望

2021年7月13日

おなじ職場でまったくおなじ仕事をしているのに、賃金や手当がちがう。不平等の極みだが、かたや社員、かたや非正規と身分がちがえば、仕方がないかとみなが諦める。いっとき安倍内閣が「同一労働同一賃金」のスローガンを掲げて驚かせたが、いまは完全に忘れている。差別や格差は社会的な分断支配の政策だが、それを正すのは政治の責任、社会的な義務であり、労働者の権利だ。

巣ごもり生活中にみた『メトロレディーブルース』(ビデオプレス製作)は、東京メトロの売店で働く女性たちの明るいドキュメンタリー映画だ。元気をもらった。なにしろ60代女性たちの、6年にわたる熱気溢《あふ》れる裁判闘争記録なのだ。

おなじ職場でも社員と契約社員Aは月給制だが、契約社員Bは時給1000円。手取り12万から13万円。19年働いても退職金もなし。それで全国一般東京東部労組に加盟して、団体交渉がはじまった。時給1000円は1年ごとに10円あがって、10年たって1100円になった。

労組があったから70歳まで働くことができた。「おかしいことはおかしい、といいたかった」と後呂《うしろ》良子さんがいう。若い頃、演劇学校に学んでいた。集会を寸劇化したり笑いが多かった。「組合をやってよかったことは、いろんな人と出会えたことです」。いま彼女は午前中はビル掃除、午後はポスティングで生活している。

素朴な疑問

２０２１年７月20日

内閣支持率35％、共同通信の世論調査の結果だが、ＡＮＮニュースでは29・6％。コロナ対策への不信感が強まって、内閣崩壊寸前である。その一方、菅義偉首相が縋《すが》りついてきた東京五輪、いよいよ3日後に開会式。とはいえ東京は、１日平均１０００人の感染者がつづき、ピークにむかっている。ついに選手村からもコロナ感染者があらわれた。

「国民の命と健康を守っていくのが開催の前提条件」との前言は、すでに破棄された。菅首相、開会式がはじまれば世は興奮状態、支持率は反転すると踏んでいるようだ。が、自己の権力維持のために、人の命を軽んじる冷酷さは、悪徳政治家のものというしかない。

「復興五輪」とか「人類がコロナに打ち勝った証し」とか、美辞麗句を並べたて、こんどは「感動を世界に届ける」「難局を乗り越える」などと、歯の浮くような表現を使い、恥ずかしげもない。

「世紀の祭典」にまったく似合わない「無観客会場」の矛盾について、国際オリンピック委員会（ＩＯＣ）のバッハ会長は「ファンの応援動画や過去の大会での歓声を流すなど、デジタル技術を駆使する計画を示した」（「東京新聞」18日付）そうだ。

「拍手と喝采の偽造」に依拠する五輪。命よりも大会スポンサーを大事にする五輪（のちに、スポンサーをめぐる汚職事件が発覚する）。それはスポーツマン精神に合致していますか。バッハさん、道をおまちがいではありませんか。

東京五輪という装置

2021年7月27日

もはや「国民の命と健康を守る」などとはいわない。菅首相、開き直ったように「大会主催国として、世界の国々にたいする義務を果たさなければならない」。東京五輪の大スポンサー、米テレビNBCのインタビューで語ったそうだ。

国内のコロナウイルスの感染者よりも「世界40億人以上の観戦者」が大事と、国威発揚に胸を張っている。柔道選手が最初の金メダルを獲得すると、さっそく電話をかけて「多くの子どもや若者が希望をもらった、と思う」と感謝する場面をNHKで流させた。

まるで武功のあった軍人に、金鵄《きんし》勲章を授与する気分だったのだろう、とは、わたしの想像である。

それにしても、わたしたちの受信料で経営されているNHKのはしゃぎすぎはひどい。腹立たしい。総合、Eテレ、BS1は朝から夜までニュースの時間も潰《つぶ》してゴリン、ゴリン。開幕と同時に原発事故とコロナ感染、二重の緊急事態宣言下にある日本の状況は閉幕、生活困難なひとたちの悲惨を覆い隠す役割を果たしている。

民放も放送当番のような交代制で、午前9時から午前2時までゴリン、ゴリン。東京では25日、1763人の感染者。五輪反対者は「反日だ」と安倍前首相が言い募った。昔だったら非国民、といいたかったのであろう。いま辛うじて新聞が批判的な記事もだしています。奮闘を期待しています。

祭りのあと

2021年8月3日

「無理が通れば道理引っ込む」。政治の驕慢《きょうまん》はすでに許されない。被曝とコロナウイルス、二重の緊急事態宣言下のオリンピック。クレージーというべきか。開会式以来、感染者は爆発的にふえている。競技場と選手村の所在地・東京は、1日3000、4000人の感染者。テレビをつけるとNHKも民放も「ニッポン！ ニッポン！」「金メダル！ 金メダル！」の絶叫。

遠くから祭り囃子《ばやし》の笛太鼓の音が響いてくれば、その音に誘われてでかけていくのが人情というものだ。「危険だ」「集まるな」と首相や知事がいったにしろ、祭りをやらせているのが政府なのだから、無責任にすぎる。

外国から何万人もあつめていながら、県境を越えて移動するな、酒を飲むなといっても、危機感など醸成されないのは、当然のことだ。

「原発事故はコントロールのもとにある」と安倍前首相はウソをついて誘致し、コロナウイルスが世界的にひろがっても、開催を2年延期にしなかったのは、自分の首相在任を計算してのこと。

さらに感染者数を抑えるためにPCR検査を絞り、筋ちがいの小・中・高の一斉休校を断行。小だしに4度にわたった緊急事態宣言など、首相二代にわたる失政は、国民の安全といのちを守る、とする政治家の覚悟などないからだ。医療崩壊がはじまった。閉会式のあと、あらたな政治のはじまりにしたい。

五輪が終わった

2021年8月10日

東京五輪が終わった。開会式当時、東京のコロナウイルス感染者は1日1400人弱だった。が、閉会式の8日は4000人強と3倍になった。菅首相は「五輪が感染拡大に繋がっているとは考えていない」と強弁する。感染者を減らすのが、安全・安心を願う首相の最大の任務のはずである。金メダル最初の獲得選手に電話をかけるのをNHKでみて、「セコイ」と感じて「金鵄《きんし》勲章を授与する気分か」とこの欄で書いた。それどころか金メダル全員に祝辞を贈っていた、というからその利用主義はあくどい。

ところが、小池百合子都知事とともに、バッハIOC会長から「功労金章」を授与されている。国や都の貴重な資金を大量に浪費した、最大の責任者が功績を讃《たた》えられ、恥ずかしげもなく表彰される。初めのうちは「コンパクト五輪」など殊勝なことをいいながら、経費はうなぎ上り、1兆6000億円と倍以上になった。

この無責任、利己主義、無理論の頽廃《たいはい》が、安倍・菅内閣とつづく間に、社会全体にどこか投げやりな気分が濃くなった。これほど反教育的な政治はない。

コロナ変異株猛威のなかで、24日からパラリンピックがはじまろうとしている。東京五輪一色となったマスコミは、安保法制につづく「重要土地規制法」の成立や人権侵害などの脅威を喚起させなかった。バッハ会長と菅強欲内閣は日本を破滅させる。

愛と希望の書

2021年8月17日

昨年11月。渋谷区のバス停ベンチで寝ていた60代のホームレス女性が、目障りだと石で殴殺された事件は、思い出すたびに怒りを感じる。

しかし、もしも自分が通りかかっていたとして、救いの手をさしのべていたかどうか。やはり、目をそむけて通り過ぎていたであろう。終バスが去ったあとのバス停。所持金八円。契約の切れた携帯電話。絶体絶命。それでもだれも救わなかった。

『新型コロナ災害緊急アクション活動日誌』（原作瀬戸大作、企画編集平山昇・土田修）は、死のうと思ったが死ねなかった人や、死にたくないが死にそうな人たちを救って歩く、活動報告書である。「原作」とあるのでマンガと思われそうだが、集団活動の「事務局」との意味だ。

原作者は「野戦病院のようだ」と書いている。コロナウイルス敗戦国の首相は、自分の責任には無痛覚。仕事を失い、斃死《へいし》・自死直前で苦しむ困窮者に、平然と自己責任だ、自分でガンバレと「自助」教条主義を押し付ける、冷酷無残。

瀬戸さんが無一文の路上生活者と福祉事務所へ同行すると、相談員は生活保護費支給まで、その14日を5000円で暮らせと前借金を差しだす。1日358円。この荒涼たる福祉の現場。ホームレスを殴り殺す世間。それにたちむかう貧困ネットワークの奮闘。生協や労組、ボランティアの奮起をうながしている。

カジノ政治の終焉《しゅうえん》

2021年8月24日

東京五輪がコロナ感染者を激増させたのはまちがいない。地域のひとびとが、年に1回、伝統的なふるさとの祝祭を、「健康と命を守る」ために涙をのんで中止しつづけているのを尻目に、菅首相は「世界の国々にたいする義務」と嘯《うそぶ》いて決行。終わってみれば日夜、全国2万人の感染者。そして今日、パラリンピックの開会式。

コロナ陽性、症状が悪化しても自宅療養。まるで無医村の医療逼迫《ひっぱく》。救急車も来ず、死の淵での自助努力を強いられるひとたちがふえている。20、30代に感染者が続出したのは、オリンピックという名の「国家的祝祭」を、NHKがすべてのチャンネルで、朝から深夜まで垂れ流し、コロナウイルスの警戒心を緩めたからだ。民放、一部の新聞もまた無反省だった。

さらにパラリンピックでは、東京都と近郊の小中高校生の集団観戦がおこなわれるという。信じがたい教育委員会の決定、まるで学徒動員だ。

「オリ・パラ」は安倍前首相の福島原発事故払拭《ふっしょく》の野望からはじまり、菅首相のGo Toトラベルと東京五輪強行で感染大爆発。それでも懲りないパラリンピックの強行。小池都政の「観戦プログラム」は、さらに感染者を拡大させる政策だ。

現実を直視しない、希望的観測をもっぱらとする政治は危険だ。自己チュウ、賭博性、カジノ政治。菅首相は自己本位、あまりにもひとのいのちに無頓着だ。

奇妙なサイクル連鎖

2021年8月31日

静岡県熱海市での土石流の発生源は、不法な建設残土の堆積物だった。下流のひとびとの被害と恐怖は他人事《ひとごと》ではない。

いま、建設残土が船で大量に運び込まれているのが、青森県六ケ所村。村の巨大な岸壁は幻に終わった「むつ小川原巨大開発」の負の遺産である。外洋に面した公共岸壁には汚染土、内側の掘り込み港湾には、原発の使用済み核燃料が運ばれている。

目下、完成見通しの暗い日本の虚大事業は、3兆円の六ケ所村の核燃料再処理工場、2兆6000億円（沖縄県試算）の辺野古米軍基地、そして7兆円のJR東海のリニアモーターカーである。

このリニアトンネル掘削残土が千葉県市川市から、2000トン級のガット船（砂利、砕石運搬船）で、六ケ所村に運び込まれている。電力を膨大に必要とする、リニアモーターの電源のために原発が増設され、「巨大開発」計画が破綻したこの空白地に、リニア建設と核の廃棄物がまわされてくる。核燃料サイクルという名の負の連鎖。

「巨大開発」「繁栄」「所得向上」を掲げて、青森県が畑作農家や酪農家を買収した揚げ句の果てが、大量の「汚染土」搬入である。村には「リサイクル」を掲げて、鉛などに汚染された土壌を洗浄する「六ケ所ソイルセンター」が稼働した。しかし、開発当時から監視しつづけてきた杉山隆一さん（72）は、「始末に負えない汚染土壌による公害が心配だ」という。

静謐《せいひつ》保持撤退

2021年9月7日

いまでも、瞼《まぶた》の裏にこびりついている衝撃的な映像だった。

アフガニスタンのカブール空港。脱出をもとめるひとびとが群がっている。軍用機にしがみついて地上に落下する男たち。

日本人大使館員12人は無事に脱出した。が、出国を希望した現地の職員や家族など、500人は足止めされたままだ。内戦がはじまるかもしれない。

するとそのひとたちの運命はどうなるのか。

国家崩壊。満州国解体を想起する。当時「最も重大な在満日本人百万の保護については充分《じゅうぶん》な手順が考慮されてなかった」と『満州開拓史』（1966年刊）にある。

そこで引用されている手記にはこう書かれている。

「かれらは対ソ静謐《せいひつ》保持のため戦略的に放棄されていたのである。しかも『根こそぎ動員』により壮年男子の多くは召集され、老幼婦女の集団であった」。

ソ連軍に気づかれぬための「静謐保持」。関東軍は作戦上、住民にはなにも告げず、密《ひそ》かに撤退したのだ。それが膨大な死者と「残留孤児」を生みだした。その悲劇はいまなおつづく。

アフガンからの国外退避で、菅政権は世界の国々に遅れをとり、急遽《きゅうきょ》、自衛隊機を派遣した。それが軍用機を派遣するための作戦だったのかどうか。しかし、あまりにも人命無視の遅れだ。

追悼・色川大吉さん

２０２１年９月14日

経済評論家の内橋克人さんが亡くなり、歴史家の色川大吉さんが亡くなった。尊敬する人たちの他界は、身に堪《こた》える。

96歳だった色川さんは昨年10月、『不知火海民衆史』を上梓《じょうし》した。上下六百ページ以上におよぶ浩瀚《こうかん》な一書。「いま95歳の私がこだわるのは、四十余年経《た》っても、あの通いつめた日々が朽ちない価値を持っていると、信じているからである」

この序文の言葉は、ノスタルジアではない。水俣病を広めるために、調査団を組織し10年間通って調査した事実を、いま死を前にして記録に遺す。歴史家の矜持《きょうじ》といえる。正史よりも民衆のこころに刻み込まれた思想を繋《つな》ぐ「民衆史」「自分史」の確立が色川さんの主張であり実践だった。

上巻は１９５９年、多くの逮捕者をだした「水俣漁民暴動」を、聞き書きで掘り起こした詳細な記録からはじまっている。自由民権運動、秩父困民党、足尾銅山と谷中村闘争、成田空港に反対する農民闘争をテーマにしてきた色川さんの魂がこもっている。下巻は水俣病患者の聞き書きである。

色川さんとの出会いは、早世したドイツ文学者の鈴木武樹・明治大教授とわたしとの3人で、成田（三里塚）闘争の応援に行ったとき。「そのころの闘魂、車椅子生活になっても失っておりません。夢ではよく△△の蹶起《けっき》大会に参加しています」と、ことし2月に書き送ってきた。ロマンチストだった。

一人でもできる運動

2021年9月21日

東京・三多摩地区のいくつかの市議会でも、沖縄戦没者の遺骨混入土砂を基地などの埋め立てに使用しないことを求める陳情が採択されている。

わたしの住む町は、歴代保守市長のもと、保守系議員が多数を占めているのだが、先日、総務文教常任委員会で、全会派一致して陳情を採択、月末に本会議採択の見通しにある。

戦後76年がたっても、戦場に眠る兵士の遺骨が家族のもとに帰れない。その現実がいままた戦争の悲惨さを、痛みとともに思い起こさせる。土砂の採取にたいして、沖縄遺骨収集ボランティア「ガマフヤー」の代表・具志堅隆松さんが「犠牲者の骨や血がしみ込んだ土砂を埋め立てに使うなどあってはならない」と座り込んで抵抗してきた。

沖縄の人たちばかりか、全国から派遣された兵士、朝鮮人、米兵が、血を流して倒れ、骨は打ち捨てられたままだ。おそらく、その人たちは実は戦争に反対しているであろう。それなのにようやく掘り起こされても、こんどは米軍基地の礎にされる。納得できるだろうか。

具志堅さんは都道府県および市町村議会1743団体へ、国の埋め立て計画断念を求める要請文を送った。大胆にして細心な運動である。さらに自民党総裁選候補者と野党党首にどうするのか、との公開質問状を送付した。そこには、こう書かれている。「是非とも戦没者の救済とご遺族の心情に沿った対応を希望します」。

廃炉交付金の制度化を

2021年9月28日

自民党総裁選で、河野太郎候補が原発再稼働を認めながらも、核燃料サイクルの将来には否定的発言をしている。自民党内にも使用済み燃料の再処理を否定する、理性的な正論がでてきた。脱原発運動のひろがりである。

総裁決戦投票で河野候補が勝利するのか、それとも、岸田文雄候補が派閥の駆け引きで、首相の座に就くのかどうか、それは不明だ。が、しかし、当面の原発政策が原発利益集団の破滅的な欲望にまだ従うとしても、青森県六ケ所村の再処理工場廃棄の声は高まりそうだ。なにしろ事故つづきで、完成の見通し困難な「世にも不思議な工場」なのだ。

最近、わたしは石炭産業の末路を思い起こしている。いまは地球危機の元凶《げんきょう》とされているが、産業革命を牽引《けんいん》し「産業のコメ」といわれていた。ところが、「未来のエネルギー」を喧伝《けんでん》された原発も、いまや斜陽。斜陽になった炭鉱では重大事故が続発していた。

1981年10月、北炭夕張ガス突出事故　93名死亡。84年1月、三井有明鉱火災事故　83名死亡。翌85年5月、三菱南大夕張鉱爆発事故　62名死亡。

零細炭鉱はスクラップ化、財閥系の炭鉱は救済されたが、事故つづきで破綻。政府は「閉山交付金」を支給して政策転換を図った。終わりがみえてきた最大の恐怖、原発の維持管理が不安だ。「廃炉交付金」を制度化して、安全な撤退の道を早急に検討しよう。

学術会議六人の任命拒否

2021年10月5日

また三代目。岸田文雄首相が出現。敗れた河野太郎氏も三代目だった。安倍晋三、麻生太郎、小泉純一郎も遡《さかのぼ》ってみれば三代目首相。福田康夫はまだ二代目首相だった。まるで歴史が凍結したかのような門閥政治。民主主義などどこ吹く風。

さらに党三役、大臣にも岸、福田、鈴木、西銘など政治家一家の商標。岸田内閣の組閣は安倍、麻生、甘利明の3A長老の談合だ。その証拠に各派閥の不満が出ないよう構成員が均等にポストを割り当てられた。これほど恣意《しい》的、露骨な政治を民主主義といえるのか。勝手な政治が行われても有権者が怒らない。残念ながら、投票で社会が変わるとは信じていないからだ。

安倍・菅首相の身内への利益導入は鼻についた。防衛予算の歯止めを外して米製戦闘機を爆買い、沖縄・先島での軍事基地の増強、集団的自衛権の行使容認などは、歴史を逆行させる悪政である。さらに許されないのは、昨年、学術会議が推薦した会員候補六名の任命を拒否した、思想と学問の自由への弾圧である。

1930年代。天皇機関説を主張した美濃部達吉・東京帝大名誉教授の著書が発禁処分、さらに美濃部本人への暴漢の襲撃が誘発された。民主主義の根幹をなす思想と言論への、菅前首相の不当なパージは、まだ撤回されていない。新内閣はこの問題に頬かむりするのか。任命拒否を容認する強権は認められない。首相の見解を問いたい。

MINAMATA

2021年10月12日

映画『MINAMATA』を観《み》た。写真によって水俣病を世界に知らしめることになるユージン・スミスは、ニューヨークで酒浸りの生活だった。そこへアイリーンが現れて共に水俣へむかう。ハリウッド映画らしい筋立てだが、ユージンを演じるジョニー・デップの入魂の演技で、ストーリーは砕氷艦のように強引に進む。事実を超える強引さに違和感がないのは、水俣病の世界を伝えたいとするユージンとアイリーンの思いがよく伝わってくるからだ。映画が進むにつれ「虚実皮膜の間に真実がある」と感じさせられた。現実のドラマ化とドラマの現実化が一体化している。

熊本県水俣市の海岸部で猫が躍り上がり、幼女が脳症で入院して水俣病が公式に確認されていた。それでも、チッソはメチル水銀を水俣湾に排出しつづけ、政府が公害病と認定する1968年まで、虚偽の学説で防衛し、事実を捏造《ねつぞう》していた。より多く儲《もう》けるためだけに。

クライマックスは、淡い光を浴びた浴槽で、母親が身体のよじれた娘を抱きかかえる。静謐《せいひつ》な愛に満ちた1枚を撮る瞬間。水俣世界の象徴である。

エンドロールで、チェルノブイリ、フクシマ、インド・ボパールの化学工場での毒ガス漏洩《ろうえい》事故など、地球の危機にむかう世界の公害のスチル写真が延々と流れる。坂本龍一の音楽が切ない。人類は愚かにも、環境と生き物に危害を加えつづけてきたのだ。

言論の自由と平和

2021年10月19日

今年のノーベル平和賞の受賞者が、フィリピンのニュースサイト「ラップラー」のマリア・レッサさんとロシアの独立系新聞「ノーバヤ・ガゼータ」のドミトリー・ムラトフ編集長に決まって、勇気づけられたジャーナリストは内外ともに多い、と思う。

ドゥテルテとプーチンの強権に真っ向から立ちむかい、殺害されたり、逮捕されたりしながらも言論表現の闘いを継続してきた。その活動が平和をつくると顕彰されたのには励まされる。

ひるがえって日本をみると、強権をほしいままにする安倍・菅・岸田政権は無傷のまま続く。官僚の自殺者をだした国有地払い下げ問題の森友学園。学問と思想の自由を弾圧する学術会議の任命拒否、防衛費倍増を叫んで、右翼勢力を活気づける、高市早苗自民党政調会長の出現。

31日、衆院選。この日、どれだけ、わたしたちは民主主義と平和への道を取りもどすことができるか。9年ちかくつづいた勝手放題、無反省政治への批判を形にしたい。

フィリピンとロシアのいのちを懸けたジャーナリストの闘いをみれば、まだまだ力を尽くしていない、との反省がある。マスコミの記者やディレクターばかりか、個人誌、ミニコミ、地域紙などの活躍も貴重だ。わたしも選考委員のひとりである「むのたけじ地域・民衆ジャーナリズム賞」は31日が締め切り日です。

辺野古は闘い続ける

2021年10月26日

25日朝、沖縄県庁前から辺野古にむけ、貸し切りバスが出発した。196日ぶり。「沖縄平和市民連絡会」のバスだが、コロナ禍のため、基地建設抗議の団体行動は自粛していたのだ。わたしもこのバスや「オール沖縄」のバスを利用していたので、うれしい報《しら》せだった。

那覇市の建築家・真喜志好一さんからの報せだった。彼はすでに21年前に、1966年当時、辺野古に米海軍の岸壁を備えた巨大基地が計画され、その予算は米軍持ちの予定だった、と指摘していた。県試算でも経費は2兆円以上。いま、丸ごと日本負担とは屈辱外交だ。

上間芳子さんはバスが出ていないあいだにも、週2回、なん人かでゲート前に座り込んでいた。コロナ禍があっても工事は1日も止まらなかった、と悔しそうだ。自粛を要請しながらの、政府の卑怯なやりくちだ。

「今日はならし運転です」と彼女がいうのは、ほぼ半年ぶりの座り込み再開への決意表明。東京出身の大西章さんは名護市に住んで7年、今日も座り込みに参加している。

辺野古基地新設は政府の謀略であり、擬制であり、失政である。受益者の防衛大臣が、市民の権利である「行政不服審査請求」制度を悪用して、県知事が出した、海面埋め立て工事の「承認取り消し」や「撤回」などの決定にたいして、関係大臣に不服を申し立てて、認めさせた八百長。隠蔽《いんぺい》、改竄《かいざん》、お手盛り、そして買収、悪政のかぎりを尽くしている。

頬かむり政権

2021年11月2日

首相の首をすげ替え、脱兎《だっと》のごとく選挙戦に突入する奇襲作戦。15議席を減らしたとはいえ、自民単独で過半数獲得。与党プラス維新をふくめて335。改憲発議が可能な3分の2の議席を上まわった。野党共闘の立憲民主党は振るわず、維新が3倍超。あれほど勝手気儘《きまま》、議会制民主主義など平然と踏みにじった自民党が、また政権を握る。

第二次岸田政権は学術会議弾圧、森友、加計、サクラなど権力の私物化には頬かむりであろう。残念ながら、それが選挙後の現実だ。

野党共闘は失敗だったのか。1回だけの実践で失敗とは短慮にすぎる。若者の票を掘り起こせなかった。戦後3番目に低い投票率から脱却できず、世の中を変える新しい勢力としての受け皿になれなかった。有権者を投票所にむける魅力がたりなかった。

若者が主人公になる新しい時代を提示できず、本質的には改憲派の維新に新鮮さを感じさせた。野党と市民との共闘は選挙のためであって、民主主義回復のため、とはみられなかった。共闘は選挙のためばかりではない。新しい時代を用意するはずのものなのだ。

岸田内閣は維新を巻きこんで、改憲発議のチャンスを窺《うかが》うであろう。来年の参院選挙にむけ、改憲発議を止める院内外の運動が必要だ。中国、北朝鮮との緊張を緩和し、温暖化、地球の危機を防ぎ、いのちを大事にする、平和の思想をひろめる努力で巻き返そう。

狼《おおかみ》が来た

2021年11月9日

あぁ、やった！　東京新聞7日朝刊トップ記事。さほど派手なあつかいではなかったが、堂々のスクープだ。寄稿紙を褒めるのは八百長じみるが、素直に拍手喝采。「再処理工場　完成見通せず」「核燃サイクル八方ふさがり」。誰かが先鞭《せんべん》をつけ引導を渡す必要があった。

「実用化できる可能性はない」と断言する原子力規制委員会の田中俊一前委員長に、わたしはある雑誌の編集部を通じて取材を要請したが断られ、コロナ禍もあって動けなかった。

六ケ所村（青森県）の核燃料再処理工場は、２００９年に廃液をガラス固化体にする建屋内で、高レベルの廃液漏れ事故を起こしたあと、ピクリとも動いていない。

にもかかわらず、来年には稼働すると虚言を弄《ろう》して25回も延期させ、いままた22年度稼働を唱えている、しかし、常識で考えて１９９３年4月に着工してから28年、それでもなお試運転さえ成功していないのは詐欺、といえる。そんなウソまみれの工場が、1年後に動く保証はない。

「広島型原爆にして3発分の放射性物質が建屋内を汚染した」と小出裕章さんは著書で語っている。福島原発のデブリのような猛濃度の放射性物質が、手つかずのまま放置されてきた。

わたしはこの欄で「絶望の再処理工場」とか「世にも不思議な工場」と書いてきたが、事故を心配して、過激に「狼が来た」と叫ぶべきだった。

死刑は解決か

2021年11月16日

話は旧聞に属するが、横浜地裁が今月9日、3人の患者の点滴に消毒薬を混入、中毒死させたとして、元看護師にたいして無期懲役の判決を言い渡した。各紙が「遺族憤り『納得できぬ』」などの見出しをたてた。

またか、と思う。裁判官と民間人の裁判員とが討議、熟慮し、無期懲役や無罪の結論をだす。と、世論に影響力の強いマスコミが、「死刑にしなかった」と遺族の恨みを受けて書く。「親の敵《かたき》、覚悟しろ」。未《いま》だ敵討ちの「正義」に浸っている。

わたし自身、家族が殺されたなら、やはり「殺したい」との殺意を抱くと思う。しかし、国が介助人となってくれる敵討ちにしても、時間がたつにつれて、殺しても救われない、と考えるようになったら、「死刑にしろ」と叫ぶことはないであろう。

何人殺したら死刑になるのか。戦後はひとりでも死刑だった。「悪い奴《やつ》は殺せ」というにしても、いまはひとりの殺人なら無理だ。自殺は怖いから人殺しで死刑になろう、とするひとがあらわれる。しかし、大量殺人は難しい。元看護師は「死んで償う」と言った。

が、裁判長は「生涯かけて償ってほしい」と諭して、ひとつのいのちが生きながらえることになった。処刑の恐怖から逃れたにせよ、釈放の日はいつか判《わか》らない。その苦悩も償いだ。愛知県で弟を殺された原田正治さんは、加害者と会って死刑反対運動をはじめた。

世襲政治の果て

2021年11月23日

小泉、安倍、福田、麻生、鳩山、岸田。説明はいらない。日本の世襲首相の名前である。有望視されていた河野氏も世襲一家。内閣のなかにも世襲は半数を占める。代わり映えしない政治が投票率を上げないのか、投票率が上がらないから代わり映えしないのか。

もちろん、政治にたいする無関心が、持ちまわり制のような世襲政治家を跋扈《ばっこ》させている。つまりは無関心が自分の首を絞めている。いまや日本の賃金はG7で最低。米国の58・7%、ドイツの72%、英国の81・8%。イタリアの下にあって、アジアでは韓国よりも低い。

韓国の5人以上の事業所で働く労働者の現金給与総額は、36万6000円。日本は31万8000円で4万8000円も低い（『連合総研レポート』10、11月合併号）。OECD加盟国では35カ国中22番目である。1980年代はトップクラス。「一億総中流」を自他ともに許していた。

地方中堅企業の労働者の家を取材でまわると、たいがい、サイドボードに高級ウイスキーが鎮座していた。わたしは「総中流」の「板子一枚下は地獄」と書いたりした。が、やがて、造船、鉄鋼、電機、と海外に工場を建設して出て行った。

政治家たちは働くものの世界に疎かった。非正規労働者をふやし、外国人労働者を使い捨てさせた。労組の「連合」は賃上げをサボってきた。立憲民主党は、本当に変われるのか。

辺野古と原発の不承認

2021年11月30日

先週金曜日の国会周辺はにぎやかだった。わたしたちがやっている「原発いらない金曜行動」のために、議員会館通りを行くと、顔なじみのひとたちが横に並んでいる。こちらは玉城デニー沖縄県知事の辺野古工事「不承認」を支持する集会。

こっちの集会も気になるのだが「ぼくはあっち」と首相官邸を指さすと、頷《うなず》いてくれる。フランスのマクロン大統領のように、「気候危機」を口実にして、原発建設を再開しようという不届きものがいる。日本でもその議論に乗る推進派がでてきた。脱原発と脱炭素の運動とを、若いひとたちと仲良くやって、地球の未来を救う運動を目指そうと話すつもりだった。

その日の玉城デニー知事支援の集会にはでられなかったが、わたしは知事選の取材で石垣島でお会いし、就任当日も知事室でお会いした。快活率直な人物で好感がある。19歳のお嬢さんが妊娠した、と聞いたときは驚いたが、新しいいのちが生まれると喜んだ、と語ったのが印象的だった。

米軍の大量殺人のために、沖縄の新基地を建設する。静かな大浦湾にいくつもの山を削った大量の土砂が投入され、キャンプ・シュワブの北側が111ヘクタールも埋め立てられる。水深90メートル、海底の軟弱地盤へ、7万本以上の砂杭《ぐい》を打ち込む海殺し。誰もできるとは思っていない。実際にもできやしない。自然破壊はやめろ。

日本の「犠牲区域」

2021年12月7日

米軍の意向にひたすら追随の破廉恥。政府の沖縄・辺野古新基地建設。それにたいして病を押して抵抗、いわば憤死を遂げた、翁長雄志前知事の死から3年4カ月がたつ。

杜撰《ずさん》な計画の破綻を「計画変更」で乗り切ろうとする国策に、翁長さんの衣鉢を継ぐ玉城デニー知事が「不承認」として全面対決。米軍キャンプ・シュワブ前で、玉城知事はコロナ禍を衝《つ》いて、1年2カ月ぶりにひらかれた県民集会で発言した。残念ながら、わたしは2年ほどこの集会に参加していない。知事は国には負けない、と演説した。

「軟弱地盤があると分かっていたにもかかわらず、見切り発車で始まった不法な埋め立てだ」「国はあらゆる手段を使って辺野古の埋め立てを進めようとするだろうが、国の横暴に負けてはいけない。一致団結して行動していきましょう」（「沖縄タイムス」5日）

圧倒的多数の県民が反対し、県議会が反対し、県知事が反対しても、政府は「辺野古が唯一の解決策」と機動隊とともに攻めてくる。野蛮な侵略といってまちがいない。

「沖縄に基地を押し付けて平然としているヤマトゥンチュー（日本人）の差別と無関心が、沖縄の苦しみの根源にある。日本全体の利益のためには沖縄を犠牲にしてかまわない。沖縄を『捨て石』にする構造は、沖縄戦のときも現在も変わっていない」（目取真俊『ヤンバルの深き森と海より』）

思想弾圧と戦争

2021年12月14日

12月8日は80年前、日本帝国陸軍の英領マレー半島への上陸作戦と海軍のハワイ真珠湾への奇襲攻撃が、同時に決行された負の記念日。いまなお粛然とさせる破滅的な愚挙だった。ふたつの原爆が投下され、政府はようやく敗北を認めた。

「むけた人、焼けた人、血を吐く人、狂った人、人びとは次々と死んでいきました」(『女絵かきの誕生』)。被爆直後の広島に、夫の丸木位里とともに入った丸木俊は、夢に出てくる凄惨《せいさん》な状況を、日本画家の夫と力を合わせ、「原爆の図」で描きつづけた。

先日、埼玉県東松山市の丸木美術館にでかけたのは、原爆の図もさることながら「特別公開　大逆事件」の絵を見るためだった。今年1月で幸徳秋水、管野須賀子など、12人が処刑されてから110年になった。

「天皇三后皇太子ニ対シ危害ヲ加ヘ又《また》ハ加ヘントシタル者ハ死刑ニ処ス」が旧刑法であり、明治憲法は「天皇ハ神聖ニシテ侵スヘカラス」と規定した。危害を加えんとした、との疑いだけで24人に死刑判決。処刑したのは12人。特赦無期刑で5人が獄死、7人が仮出獄。露骨なフレームアップだった。

横長の絵では、12人の囚人の前に1人ずつの首吊《つ》り輪があり、「天井から一本のロープが下がる。検事、拘置所長、教戒師《きょうかいし》が死刑囚のまわりに坐《すわ》る」と書かれている。明治末期の思想弾圧と無謀な戦争とがここで結びついている。

尻尾たちの抗議行動

2021年12月21日

「一国の首相」などと言ったにしても、卑小な人物による卑小な行為がつづけば、しだいに言っても詮方ないと諦めるようになる。議会で追及されても蛙《かえる》の顔になんとやらの気が抜けた弛緩《しかん》政治。森友、加計、サクラの利益誘導、米製兵器大量購入の大盤振る舞い。学術会議への言論弾圧。ひとつでも政権が倒れそうな不祥事が目白押しでも、弛緩政権がだらだら続く。

安倍元首相の妻昭恵さんが名誉校長として大きく関わっていた森友問題。公文書を書き換えさせられた近畿財務局の赤木俊夫さんが苦悩のあまり自死。妻の雅子さんが真相究明を求めて国を裁判に訴えた。

が、国の代表者、「聞く耳」が自慢の岸田文雄首相、裁判を拒否、賠償金1億円を投げつけて裁判を踏み潰した。雅子さんの訴えはカネがほしいからではない。裁判によって責任者たちを夫の死にむき合わせることだった。ところが首相はカネの煙幕を張って敵前逃亡だ。

「私は夫が国に殺されたと思っています。そして認諾によって夫はまた国に殺されてしまったと思います。夫は遺書で『最後は下部がしっぽを切られる。なんて世の中だ』と書いています」（赤木雅子さんの「抗議文」）

「ふざけんな！　税金1億で疑惑もみ消し」抗議。23日（木）午後5時半から1時間、東京・霞が関の財務省正門前と近畿財務局前で同時行動。

新しい軍国主義

2021年12月28日

岸田文雄首相にとって名誉なのか不名誉なのか。安倍首相以来の防衛費増額は10年間止まることなく、2022年度も5兆4000億円と過去最高。21年度の補正予算と合わせると6兆2000億円。歯止めの「国内総生産1％」を超え、6兆円の大台に乗った。

24日、「敵基地攻撃能力」をもとうとするのは憲法に反するのでは、との質問に岸田首相は「専守防衛の考え方は変更しない」と答えた（東京新聞）。

しかし、射程を1000キロメートル程度に延ばせる、艦船発射型や航空機発射型などのミサイル開発予算を、393億円も確保。来年度の研究開発費（契約ベース）は、800億円増の2911億円と過去最高を記録した。

研究開発費の増額は軍需産業の喉から手がでる欲求だが、護衛艦「いずも」のように空母型に改造され、1基百数十億円もする垂直着陸戦闘機F35Bを搭載、空発型ミサイル開発とあわせれば、専守防衛能力を軽く超える兵器の所持となる。「いわゆる敵基地攻撃能力もふくめ、あらゆる選択肢を排除せず」とは岸田首相の所信表明演説である。軍備強化首相として歴史に名を遺《のこ》すのか。

「台湾有事」にむけた、日米同盟強化が米国の要求。奄美、馬毛島、辺野古、宮古島、石垣島、与那国といった沖縄、鹿児島諸島の軍事化が進められている。来年はぼんやりしていられないぞ。

2022年

1月　各地でコロナまん延防止等重点措置の実施

2月　ロシアによるウクライナ軍事侵攻が始まる

5月　バイデン米大統領が来日
岸田首相、防衛費の相当な増額を確保する決意を表明

6月　原発事故、国の責任を認めず。最高裁初の判断

7月　安倍元首相、選挙応援演説中に銃撃され死亡

参議院選挙で自民が大勝。改選過半数の63議席獲得

経団連十倉会長、原発の再稼働を進めるとともに、
リプレース、新増設を岸田首相に提言

8月　旧統一教会と接点を持つ議員が相次ぎ発覚

関西電力美浜3号機、40年超原発として、再稼働強行

9月　安倍元首相の国葬を強行

原発に救いはない

2022年1月4日

年が変わって、3月で「原子力緊急事態宣言」の発出から11年を迎える。それでも、放射能に追われて故郷に帰れない避難者が、まだ3万5000人もいる。にもかかわらず、「喉元過ぎれば熱さ忘れる」なのか。新年早々、欧州委員会は、原発を脱炭素のための、「グリーン・エネルギー」として、活用させる方針をだした。福島やチェルノブイリの沃野《よくや》を一瞬にして回収不能の荒野にしてしまったのが、「クリーン」を喧伝《けんでん》していた原発だった。

が、こんどはグリーンか。脱原発をいちはやく決断したドイツの賢明さにくらべれば、まだ「ベースロード電源」などと吹聴している暗愚な日本政府ばかりではなく、危険極まりない。

ほかの国はいざ知らず、太平洋プレートなどに囲まれたこの弧状列島の地底は活断層が縦横無尽。古来、各地で大地震と津波の大災害を繰り返してきた。にもかかわらず、50数基の原発や核施設を建造したのは、無知というか無謀というべきか。建設地と周辺住民以外はまったく無関心だった。

福島第一原発敷地内には1061基のタンクが立ちならび、たまった汚染水130万トンが海洋へ放出されようとしている。汚染残土、残留放射能ばかりか、原子炉直下の核燃料デブリも処置なしの状態。絶望的な核再処理工場、行き場のない高レベル廃棄物を考えれば、安易な原発再評価と再稼働は、地球環境への犯罪行為だ。

『海をあげる』

2022年1月11日

沖縄で新型コロナウイルスの大規模感染がつづいている。8日は1759人で3日連続の過去最高。米軍基地から漏れだした疑いが強い。ようやく軍関係者の外出制限が実施された。いままで、入国禁止も検疫も免除されていた。「日米地位協定」による治外法権なのだ。

米軍関係者の移動は禁じられず、「抑止力のため」と出入り自由。県も国も規制できない主権制限。軍事上の犠牲区域。

上間陽子さんの『海をあげる』には、沖縄の女性の日常が細やかに描かれている。完成する見込みのない米軍基地建設のために、大量の土砂が投げこまれ、殺されていく辺野古の海は、「あなたにあげる」と末尾に書きつけた挑発的なエッセー集だ。

サンゴ礁が死に、美しい魚が逃げ出し、ジュゴンは帰ってこない。アメリカの言いなりになって税金を投入、海を破壊している日本政府を黙認しているわたしたちは、「あげる」といわれても、だれも引き取ろうとしない。逃げだすことしかできない。

上間さんは沖縄で10代ママを応援するシェルターを運営している。風俗店ではたらく若い女性たちの聞き書きを、前著『裸足《はだし》で逃げる』にまとめたあと、寄り添うような生活をはじめた。

幼い自分の娘との会話と10代の母親たちとの対話。そして辺野古での座り込み。それらがごく自然な生活として、手紙のような優しい文体で書かれている。

若者たちの死

2022年1月18日

ジャン＝ポール・ベルモンドの死は昨年9月。88歳だった。どこか人を食ったような余裕を感じるのは、最初にみた『勝手にしやがれ』(ゴダール監督)のイメージからか。死のニュースのあと、1960年代にみた、ゴダールなどいくつかの映画のシーンを思い出すようになった。

60年の日米安保条約改定反対闘争で、毎日のように国会前に出かけていたひとりとして、岸田文雄内閣が強調する「日米同盟強化」には、強い反発がある。「軍事同盟強化」とは、戦争準備体制のことだからだ。

『勝手にしやがれ』のラストシーンは、警官に背中を撃たれたベルモンドが、パリの小路をよろよろ半ば倒れそうに走り、やがて倒れる。道行くひとたちは怪訝《けげん》な表情で眺めているが視線は冷たい。現実社会の街角に、俳優の演技を加えて撮った、ヌーベルバーグの手法である。息を引き取るときに、彼は「最低だ」と言ったのだが、女友だちはそれを理解できない。

安保闘争後に、学生たちの心を捉えたもう1本は『灰とダイヤモンド』だった。ポーランドのアンジェイ・ワイダ監督が、転形期の青年を主人公にした映画だった。反ソ連のテロリストは、軍隊に追われ、狙撃され、ゴミ山でのたうちまわって死ぬ。主人公を演じたチブルスキーはベルモンドのようには長生きせず、39歳で事故死した。敗戦後77年、この国は平和に飽きたのか。

沖縄を支配する交付金

2022年1月25日

沖縄・名護市長選で現職・渡具知武豊《とぐちたけとよ》氏が当選を決めた。現在もっとも重大問題である沖縄の海を破壊して、巨大な米軍基地を建設する。それも地盤がマヨネーズ状態、建設不可能として県知事が工事の承認を拒否しても、彼は「推移を見るだけ」として、なんら言及しない。

しかも、安倍、菅、岸田政権が住民の抵抗を排除して、毎日強引に工事を強行しても、自治体の長として黙殺、だんまりをつづける。人間としてどう考えているのか。

といって、この選挙戦に関わっていないので、書くのは苦痛だ。それでも「(政府は)移設工事を黙認する現職の渡具知武豊市長が再選されたことで『地元の理解』という大義名分を維持できた」との解釈がある(「産経新聞」24日)。

同市辺野古の海に土砂投入を開始したのが、渡具知市長が初当選した年の12月。防衛省関係者は「渡具知氏が勝たなければ、あのタイミングではできなかった、と語る」(同紙)。

それと引き換えに、年15億円の「米軍再編交付金」が交付されるようになった。「学校給食」「子ども医療費」の無償化ができたとして、票を集める。

米軍基地や原発など、住民のいのちに関わる装置を受け入れればカネを支給し、拒否すれば情け容赦もなくストップする。地方自治をカネで操る、野蛮な政府をわたしたちは拒否できていない。

大福を食べた

2022年2月1日

1月で石川一雄さんは83歳になった。狭山事件の女子高校生殺人容疑で逮捕されてから58年6カ月、仮出獄からでさえ27年がたった。無実を叫びつづけているが、いまだに「殺人犯」の烙印《らくいん》を押されたままだ。

獄中生活は31年半だった。司法の誤りは重すぎる。やり直し裁判はまだはじまっていない。

この裁判を応援するようになったのは、わたしが就職し、あっちこっち取材で旅行し、家庭をもち、子どもが生まれるなどの生活があったのに、おなじ年代の彼の、無実の罪でただ獄中に閉じ込められていた生活を、残酷だと思ったからだ。

一徹なところがある石川さんは「見えない手錠」が外されるまでは、といって父母の墓参りさえ我慢している。我慢といえば、彼は大福餅も食べなかった。子どもの頃は、貧しくて買ってもらえなかった。先日、「はじめて食べて美味《おい》しかった」といった。獄中で糖尿病になったのは、運動時間も惜しんで、字を覚える勉強をしていたからだ。

この事件でもっとも重要な証拠が、「脅迫状」である。が、石川さんは非識字者だ。脅迫状を書くなど奇想天外な濡《ぬ》れ衣《ぎぬ》だ。最近のコンピューターによる、字形のズレ量を計測した科学的鑑定でも、それは証明されている。

おなじ年代の友人たちは、どんどん他界していく。石川さんの誕生日に会って、無罪獲得までおたがいに元気でいようと誓い合った。

佐渡金山の悲惨

2022年2月8日

新潟県の佐渡金山が脚光を浴びたのは、それまでユネスコの世界文化遺産登録への推薦をためらっていた岸田首相が、安倍元首相など右派議員の声をよく聞いて、つまりは決断したからだ。長崎県の軍艦島（端島）が「明治日本の産業革命遺産」として登録される際も、韓国から物言いがついた。戦時中、鉱山、道路建設、鉄道敷設などの難工事に、植民地・朝鮮半島から労働者を強制連行して働かせたのは歴史的事実だ。

歴史の遺産を語るなら、その悲惨も反省をこめて伝える必要がある。過去を抹殺して自分たちの栄光だけを顕彰するのは、傲慢《ごうまん》にすぎる。アウシュビッツ。この痛哭《つうこく》の空間に立って、犠牲者の苦痛ばかりか、新しい時代にむかう祈りを感じることができた。

30年ほど前、佐渡金山はまだ操業していた。最先端の切り羽で、若いふたりの労働者が、削岩機で岩盤に穴をあけ、爆薬を詰める作業をしていた。坑外には、連行されてきた「無宿人」たちの墓があった。たくさんの罪人がいたのだ。

朝鮮人は最初「募集」だったが、のちに「徴用」になった。佐渡では1000人以上が働かされていた。わたしがお会いした勤労課外勤だったという人物は、自分の仕事は、「特高」のような役割だったと言った。在日朝鮮人史に詳しい関西大非常勤講師の塚崎昌之氏は、徴用は徴兵制度を利用して拡大された、と「わだつみのこえ」（百五十三号）に書いている。

空に伸びる開発

2022年2月15日

畑を潰《つぶ》し海は破壊。農民や漁民を追い払って、茨城県の鹿島地域などに、広大な工場地帯があらわれた。「開発」は進歩を意味したが、犠牲者は農漁民だけでなく、公害として都市住民を襲った。青森県のむつ小川原開発や鹿児島県の志布志湾開発は幻に終わった。たかだか半世紀前の話だ。いま神宮の森が再開発され、1000本ほど樹木が伐採される計画が浮上した。樹齢100年以上たった広葉樹なども伐《き》り倒され、66ヘクタールものエリアで、大工事がはじまる。温暖化が促進される。

すでに東京五輪のための国立競技場拡大によって、高齢者など300世帯が住む都営アパートが破壊された。高さ190メートル、185メートル、80メートルなどのオフィスやホテルが、巨大なビルとして建設される。鹿島開発やむつ小川原巨大開発で用地買収を手がけた三井不動産、それに商社の伊藤忠商事が中心だ。

不動産会社や建設会社は、地方の工業化を名目にして、広大な土地を掘り起こして儲《もう》けた。いまは都心の一等地に空を塞《ふさ》ぐコンクリートの塔をつくる。この虚大事業が、100年かかってつくりあげた、ひろびろとして心洗う緑地帯を、またも「開発」で破壊しようとする。

不動産業と建設産業は「脱工業」と称して、緑の空間を無機質のコンクリートに変えて、生き残ろうとする。リニアモーター建設、沖縄辺野古の軍事基地建設、六ケ所村の核再処理工場。これらと並ぶ非人間的虚大事業だ。

神宮の森の大伐採

2022年2月22日

神宮の森の大伐採計画が、都の都市計画審議会で可決された。先週もこの欄で書いたが、辛うじて都心に残されてきた、歴史的にも貴重な、広大な緑のオアシスが、あまりにも露骨な、儲《もう》け主義の餌食にされようとしている。

樹齢100年以上の老木もふくめ、「開発予定地」にある樹木の半分以上が大虐殺され、空を制圧する、コンクリートの巨大なオフィスビルが建て並べられるという。東京五輪にむけて、建築基準の緩和策で国立競技場の建て替えなどが実施された。その間隙《かんげき》を縫った巨大開発計画が、三井不動産や伊藤忠商事などが狙った、千載一遇のビジネスチャンスだ。

しかし、東京の地形が、海から日比谷公園、皇居、神宮の森、新宿御苑へと、豊かな森と緑地が続いているからこそ、大都会といえども、まだやわらかな風が流れ、花が咲き、潤いのある首都となっている。神宮の森の伐採は、その繋《つな》がりの要《かなめ》を破壊する。

地方の工業開発の時代は終わった。いま都心のオフィスとマンション建設で、あらたな需要をつくりだそうとしているのが、金融業、不動産業、建築産業の欲望である。

かつての、土地に柵を立てた囲い込み政策が、これから、都心の天に、コンクリートの塔を突き刺し、空を包囲し、地上に冷たい暴力的な風を巻き起こす。極限の一極集中計画というべき「神宮外苑再開発」は、厳しい歴史の審判を受けるであろう。

戦争と原発

2022年3月1日

やはり出てきた、安倍晋三元首相の核武装論。ロシア軍侵攻によってウクライナのひとびとが死に直面しているのを尻目に、フジテレビの番組に出演、米国の核兵器配備を受ける「核共有」（ニュークリア・シェアリング）にむけて、こう言った。「世界の安全がどう守られているかという議論をタブー視してはならない」

プーチン大統領が「ロシアは世界で最も強力な核大国の一つだ」と言って、核兵器の「限定的使用」を脅しに使いはじめた。それにさっそく飛びついたのが、安倍元首相。「核には核」の野蛮な論理である。

プーチン大統領と27回も首脳会談をした、と自慢しているのだから、戦争やめろ、の電話くらいしたらどうか。が、彼は首相になる前には、小型核保持に言及したことがある核兵器主義者だった。この戦争勃発をチャンスとばかり、国是・非核三原則を破る火事場泥棒。

ロシアへの世界的な抗議の声を受けて停戦にむけた交渉がはじまった。この戦争でロシア軍がいちはやく実行したのが、チェルノブイリ原発の制圧だった。核兵器ばかりか原発もまた、戦争によって偶発的な、あるいは意識的な、核爆発の悲劇を招きかねない、との恐怖が強まっている。

ひとを殺すな。それが戦争反対の願いだが、平和のためにも原発廃絶の運動も強めなければ。「さようなら原発」運動も、ロシアへの抗議とデモを計画中。

ロシア軍は撤退せよ

2022年3月8日

この原稿を書いているあいだにも、ロシア軍によるウクライナへの侵略がつづき、多数の市民が殺戮《さつりく》されている。どうしたら、この非道の軍隊を撤退させられるのだろうか。

プーチン大統領が、ウクライナのNATO加盟などロシア離れの動きに苛立《いらだ》ったにしても、武力で政権を変えようとするとは想像できなかった。第二次大戦以降でも朝鮮戦争、ベトナム戦争、イラク戦争などで、兵士以外にも多くの人たちが戦火に巻き込まれて死んだ。

いまプーチンは街を破壊し、住民を殺害しながら、ウクライナの「中立化」「非武装化」「政権交代」を要求し、死者ばかりか膨大な避難民を発生させている。そのひとりひとりの人生に、彼はどう責任をとろうとするのか。

大国による周辺国の主権無視の暴虐が、21世紀になっても公然と行われている。アジアでもこれから起こりそうだ。ロシアの侵略戦争は各国の軍備強化を引きだす。

安倍晋三元首相、得たりとばかり米製「核」の「共有」論を展開、日本維新の会の松井一郎代表ばかりか、自民党の福田達夫議員や世耕弘成議員なども同調している。

プーチンは核兵器使用を脅しに使い、チェルノブイリやザポロジエ原発を制圧。ついに現代は核爆弾ばかりか、原発も核戦争の手段になる恐怖を証明した。日本政府はウクライナへの防弾チョッキ供与を決めた。武器輸出の準備のつもりか。

米軍基地と核工場

2022年3月15日

福島原発事故から11年。事故後の悲惨はつづいている。それでもいまだ原発は残存している。それどころか、ロシアから原油が入らなくなると宣伝、戦争を奇貨として再稼働のピッチを上げようとする輩《やから》もあらわれた。しかし、戦争の危機と原発の危機との一体化を、明確に示したのがロシアのウクライナ侵攻だった。

事故があった3月11日、経済産業省前と東京電力本社前とで、ふたつの抗議集会があった。その両方に参加。13日は八戸市（青森県）での「さようなら原発・核燃集会」（ユーチューブ・ライブ）に出席した。

福井県知事は防衛大臣と面会して、原発地帯防衛のための自衛隊配備を陳情した。とするなら、青森県下北半島には、沖縄・嘉手納につぐ三沢米空軍基地があり、すぐ北側には、プルトニウムを抱えた使用済み核燃料再処理工場がある。試運転開始から19年。事故つづきで、13年間も運転停止。本格生産は疑問視されている。それでもすでに、高レベル放射性物質で汚染されている。

米空軍基地とプルトニウム工場とがならぶ空間に、米空軍所属F16の射爆場がある。爆弾投棄の訓練が行われ、なんどかの墜落事故があった。『下北核半島』は斉藤光政さんとの共著のタイトルだが、ここは日本でもっとも危険な地域だ。30年以上運動をつづけている、「あおもりネット」共同代表の浅石紘爾《こうじ》弁護士、大竹進医師、市民運動家の山田清彦さんなどとの集会だった。

差別と大量殺戮

2022年3月22日

自転車で自宅から15分ほどのところに、ハンセン病の療養施設・多磨全生園《ぜんしょうえん》がある。いまは森に囲まれたゆったりとした地域だが、その森は、社会から強制的に排除され、収容された元患者の犠牲的な労働によって形成された。

ここに住んでいた在日の作家・故国本衛《くにもと》さんとたまたま知り合ったご縁で、わたしはハンセン病市民学会の会員になった。その前にも「癩者《らいしゃ》の息子だ」と宣言して活動しつづけ、最近、被害家族の賠償請求裁判の先頭にたって勝訴に導いた、林力さんにお会いして、影響を受けている。

林さんが九州産業大教授だったときに、部落差別問題の学内集会に呼ばれ『父からの手紙』を頂いた。それではじめて療養所にいる人たち全員が仮名で暮らしている、差別の現実を知らされた。

ハンセン病市民学会が最近出版した、『ハンセン病問題から学び、伝える』(清水書院)は、元患者、家族、教員の体験談や「らい予防法違憲訴訟」の歴史、冤罪《えんざい》で死刑にされた菊池事件などハンセン病問題の貴重な入門書だ。

いま毎日、ミサイルで街を破壊する、ロシア軍侵攻の映像をテレビでみつつ、人間の命を奪う殺《さつ》戮《りく》でしか勝利を確認できない、権力者の驕慢《きょうまん》への怒りを抑えがたい。ハンセン病患者が差別とむき合い、尊厳を獲得するまでの長いいのちの闘い。ひとのいのちの愛《いと》おしさを、プーチンは知らない。

大地震弧状列島

2022年3月29日

法事があって盛岡へ出かけた。両親を引き取っていた長兄が亡くなり、そのあと義姉が他界して一周忌だった。今月16日、マグニチュード7・4の地震の影響で、2週間たっても郡山――一ノ関間の東北新幹線は運行停止中。それで在来線、新幹線を交互に乗り継ぎ、自宅から9時間以上もかかって、盛岡駅に到着した。通常なら4時間のコースだ。

まん延防止等重点措置が解除された土日の行楽日。それも指定席なし、全席自由席だったから、乗り換えるたびに席取り競争。運よく、立ちっ放し乗客にはならなかったが、80過ぎの老人には過酷な旅だった。11年前、強烈な放射線下を逃げ惑い、いのちを落とした老人や入院患者たちの苦悩を思った。地震によって東北新幹線は脱線、不通となった。

それでも転覆しなかったから惨事は免れた。福島第一原発、第二原発あわせた10基も、2度目の強度の地震襲来をなんとかかわして、再度の事故にはならなかった。

東北ばかりか、全国の新幹線もあらためて大地震の発生が心配になった。予想されている東海大震災、伊方原発や玄海原発に影響する長大な中央構造線断層帯、あるいは南端の与那国島周辺まで。この日本弧状列島は世界に冠たる大地震列島だ。

この海岸線にずらりと原発や核再処理工場など、地震に弱い、超危険な原発を建ちならべた責任者はだれだ。

労働者の団結権

2022年4月5日

街角をすいすい、箱形の鞄《かばん》を背負った男の自転車がいく。昔の飛脚のような姿が目立つようになった。個人請負の配達員。現代的には、ギグワーカーというようだ。

コロナ禍で目立つようになった。ギグは英語のスラングで、1回きりの演奏を意味する、とか。一時代前は派遣労働者が全盛期だった。工場へ本人が身体を運んだ。いまは荷物を運ぶ。前は1日が単位だったが、いまはもっと細切れで、1時間単位もあるから切ない。

「米アマゾンで労組結成へ　人手不足強まる要求」(「朝日新聞」4月3日)。労働運動がはじまった。これからの波及効果が期待される。

日本から米国に進出した自動車メーカーでは、ほとんど労組が結成されなかった。それを考えれば、ウォルマートにつぐ、アマゾン・ニューヨークの物流拠点で、創業から28年目で労組結成が可決された、とは朗報だ。スターバックスでも昨年末、ニューヨーク州の店舗で労組結成が決定された、という。

個人委託形式の請負業務は身分不安定だ。簡単に契約解除される。労働者としての身分保障がない。ギグワーカーは経営者ではない。労働によって生活する労働者だ。労働者として経営者と対等で、団結権がある。ウーバーイーツでも労組が結成されている。労組の結成は労働法により保障されている労働者の権利だ。クビにするのは違法だ。

空想的な「核共有」論

2022年4月12日

目下、非道なロシアの猛攻を受けているウクライナの惨状をテレビで見ながら、原爆投下直後の広島、長崎の阿《あ》鼻《び》叫喚《きょうかん》を想い起こした人たちは多いであろう。あるいは、東京やそれぞれの町の空襲。わたしたちの世代は、戦争中と戦争直後の悲惨さを骨身に染みて知っている。

しかし、80歳前後までしか、戦争当時の記憶はない。「核共有」に執心する安倍晋三元首相は戦後派。「核抑止の問題も含め、今後も議論を促していきたい」（『文藝春秋』5月号「『核共有』の議論から逃げるな」）と挑発的だ。

「NATOは現実的に核シェアリングをしているから、ロシアも簡単に手をだせない」と橋下徹・元大阪府知事がテレビ番組で誘い水をかけ、安倍発言を引きだした。が、さすがのプーチンもNATO相手に戦争しようなどとは考えていない。

安倍氏は「我が国の平和と安全は相手国がアメリカからの報復可能性をどう考えるかにかかっています」といって、こうつづけた。「アメリカの抑止力をどのような形で日本に展開していくのか、核攻撃をおこなう場合は議会に諮るのか（略）議論が必要になる」

しかし、非核三原則の「持ち込ませず」はどうするのか。ウクライナ戦争の教訓とは、米国との軍事同盟の強化などではない。ロシア、中国、北朝鮮などの近隣国と、平和な友好関係を保つことではないのか。

教育と愛国

2022年4月19日

安倍晋三元首相のモリカケ問題、菅義偉前首相の学術会議会員候補の任命拒否事件。一方は学校建設に政治家が顔を利かせた私物化、一方は気に食わない学者の露骨なパージ。このふたりの政治家の登場に至るまで、戦後教育へのアメとムチの経過が、映画『教育と愛国』（斉加尚代監督）に記録されている。

映画の冒頭で、パン屋を題材にしていた小学校の「道徳」教科書が、検定の結果、和菓子屋に変えられた話が紹介されている。まるでマンガだ。戦時中に野球の「ストライク」が敵性語とされて、「よし」に変更された故事を想《おも》い起こした。

学問の独立は民主主義の根幹だ。しかし、2006年に安倍政権が教育基本法に「愛国心」を注入させ、教科書の検定が強められた。「従軍慰安婦」は軍の関与を消して「慰安婦」にされ、朝鮮人や中国人の「強制連行」は「動員」にされた。戦争の負の部分は消される。

わたしは「少国民」をつくる、「国民学校」1年生の夏、敗戦を告げる天皇の玉音放送を疎開先で聞いた。国定教科書には絵入りで、「ススメ　ススメ　ヘイタイススメ」と勇ましく書かれ、軍国教育が徹底されていた。

もしも10年早く生まれていたら、わたしも中国か南洋の島で戦死か戦病死していたであろう。教育の力を利用し、子どもを戦地に駆りたてたのが、日本の教科書だった。

「防衛」から「反撃」へ

2022年4月26日

退却を「転戦」と言い換えたのは、日本帝国陸軍の作戦だった。敗戦を「終戦」とした政府も、負けを認めたくない負け惜しみ。そのころ、ブラジル移民のあいだには、故国の敗戦を認めない、「勝ち組」というのがあったそうだ。

原発事故はアンダーコントロール。11年たっても続くウソだ。侵略を「軍事行動」と言い抜けたのも罪が大きい。「赤ずきんちゃん」のおばあさんを食べた、狼《おおかみ》のような狡猾《こうかつ》な偽装だ。

さて、自民党の安全保障調査会（会長＝小野寺五典元防衛相）は、敵国の「敵基地攻撃能力」の保有を検討すると決定した。つまりは、敵国の弾道ミサイルの基地を、ミサイルで攻撃する能力で、「指揮統制機能等も含む」。このため、これから防衛費を倍増の10兆円にふやす。

いま、ミサイルを撃ち合う戦争が続いている。このどさくさにまぎれて、自衛隊にも敵基地攻撃の弾道ミサイルを装備させようとする。核を共有しようという極論もある。そして「攻撃能力」を「反撃能力」に変えた。「専守防衛」から「専守反撃」に変えて、憲法九条をクリアできるのか。防衛省を反撃省に変えても、平和憲法か。

ロシア軍の攻撃はさらに激しくなりそうだ。戦争の長期化が予想されている。和平、停戦を望む国際世論はまだ力弱く、死者はふえるばかりだ。それを奇貨として、防衛予算を倍増させ、米国から巨額な兵器を購入、開発しようとする。やり方が卑劣だ。

原発被災者といじめ

2022年5月3日

政府は福島原発事故からの「復興」を強調するため、避難指示区域を解除しながら住民を地元に帰そうと躍起になっている。そのあおりを食らっているのが「強制避難」と「自主避難」の家族だ。避難指示区域に入れられなかったいわき市など、原発周辺地域に住んでいて、低線量被曝《ひばく》を回避するために「自主的に避難」したひとたちには、涙金の補償しかなかった。避難先の仮設住宅からの追い立てを食らって、自治体に居住権をもとめて交渉したり、署名運動したり、裁判で争ったりしたが、結局、強制的に追いだされた。

それでなくとも避難者の子どもたちは避難先でいじめられた。8歳でいわき市から東京に避難した鴨下全生《まつき》さん（19）は、いじめを受けて登校もできず、ただ昼も夜も寝ているだけ。死を考え、無力感に苛《さいな》まれてきた。

「可哀想《かわいそう》だからいじめるのではない。不正に賠償金をもらっているとか、国を訴える悪い奴《やつ》だとか、やっつける大義名分があるから、暴力をふるえるのです」（鴨下さん）

父親の祐也さんは、自宅が汚染され避難生活をせざるをえなかった損害賠償をもとめて、国と東電を相手に提訴した。しかし、週刊誌にバッシング記事を書かれ、いじめがさらに激しくなった。

全生さんはローマ教皇に手紙を送ってバチカンで謁見《えっけん》、来日したとき再会した。教皇も離日して原発批判のコメントをだした。

国を守るために

2022年5月10日

3月中旬、震度6強。東北地方を襲った地震によって、東北新幹線はおよそ1カ月間、不通になっていた。このとき盛岡へ行くため、一部開通した新幹線と在来線を乗り継いで行った。たまには、在来線も悪くはない。

在来線は町と町をつなぐ生活路線である。窓越しに、谷間にポツンとたつ農家がみえ、犬が駆けていたりする。昔は蒸気機関車だったから、トンネルにちかづくと汽笛が聞こえた。あわててガラス窓を降ろした。トンネルを抜けるとガラス窓を上げる。すると、閉め遅れたため、車内に入り込んでいた煙が、サーっと外へ流れだしていく。開けたり閉めたり、けっこう忙しかった。

旅は地方の生活がみえる在来線の方が楽しい。しかし、ローカル線切り捨てはこれからさらに激しくなる。自動車産業の発達にあわせて、高速道路建設が進んだ。仕事が都会に集中して、過密化と過疎化に分岐した。

中曽根首相の「国鉄分割・民営化」から35年。公共交通の意識が薄れ、利益確保のために赤字路線切り捨てが露骨になり、コロナ禍でさらに赤字がふえた。

JR北海道やJR西日本管内で、鉄道空白地帯がふえる。いまでも藪《やぶ》の中にプラットホームの遺跡が埋もれている。老人や子どもの足が奪われ、過疎化が進み、国が滅びる。「国を守る」といって防衛予算を倍増させ、年間10兆円にもするなら、地域の交通と生活を守るためにまわせ。

「無実の罪人」59年

2022年5月17日

ある朝、寝込みを襲われ両手錠で連行された。逮捕状に記載されていた容疑は「窃盗、暴行、恐喝未遂」。戦後の混乱期。畑の大根くらいは無断で齧《かじ》ったことはあった。

埼玉県狭山市で、帰宅途中の女子高校生が行方不明になり、4日たって遺体で発見された。近くに住んでいた石川一雄さん（24歳）が逮捕されたが、21日目に釈放。玄関まで歩かせ署内で再逮捕。この衝撃と絶望感は想像してあまりある。

そのショックから立ち直れず取調官に籠絡され、誘導されるままに虚偽の自供。一審死刑判決。それでようやく、警察に騙《だま》されたことに気付かされた。

被害者の通学用自転車が、自宅の自転車置き場に返されていた。「脅迫状」が玄関の引き戸に差し込まれていた、など顔見知りの犯行の疑いが強い。

残念ながら当時の石川さんは非識字者だった。「金二十万円女の人がもッてさのヤのもんのところにいろ」など、文章で人を脅すなど考えられない。字を書くのは怖い。しかし脅迫状は書き慣れた横書き。促音を使いこなす長文。一行ずつ詩のように行が終わっている。

逮捕から59年。31年7カ月も獄中にいた。いまだ殺人者のままだ。「こんなに長くかかるとは思わなかった。60年目には解決すると確信している」（石川さん、83歳）。24日午後1時。日比谷野外音楽堂で狭山事件、再審請求集会。

開かずの扉

2022年5月24日

「浜の真砂は尽きるとも」と言ったのは石川五右衛門だが、「濡《ぬ》れ衣《ぎぬ》」で逮捕される冤罪《えんざい》被害者も尽きることはない。

1966年、30歳の袴田巖さんは一家四人殺しの疑いで逮捕され、のちに死刑宣告。48年たってやっと警察の証拠偽造が認められ「これ以上拘束を続けることは耐えがたいほど正義に反する」と静岡地裁が死刑と拘置の執行を停止、再審開始決定。だが、検察官が抗告したので、86歳でいまだ「死刑囚」の不名誉を拭い去ってはいない。

先週、この欄で紹介した石川一雄さんは24歳で逮捕され、一審死刑、二審無期懲役。83歳でまだ「殺人犯」のまま。再審ははじまらず、「見えない手錠をはめられている」と訴えている。

鹿児島県大崎町の農民殺人事件は、容疑者とされた家族に知的障害があったとされ、自殺や刑期満了などの悲惨。無実を訴えていた原口アヤ子さんは、再審開始判決を受けながらも、最高裁に覆《くつが》えされている。94歳。病床にありながら、再審開始を訴えている。

無実で処刑された福岡事件の西武雄さん。飯塚事件の久間三千年さん。熊本県ハンセン病施設でひそかに裁かれ、処刑台へ送られた菊池事件のFさん。三鷹電車転覆事件の死刑囚、獄死した竹内景助さん。やはり獄死した名張毒ぶどう酒事件の奥西勝さん。冤罪者の無念が、民主主義の柱としての裁判を裁いている。

#「専守防衛」から「先取反撃」へ

2022年5月31日

小学生のころ、戦後まもなくだったが、悪ふざけしたりすると、教師が前へ出ろ、と言ってビンタを張った。予科練帰りの助教員がベルトを抜いて振りまわしていた。何年かたって帰郷したとき、君たちとは会いたくないんだ、と先生が言った。トラウマに苦しんでいるとわたしは理解した。

たったこれだけのことだが、戦争が破壊したものは、何十年たっても精神的に遺《のこ》っている。ロシアのウクライナ侵略があって、バイデン米大統領が訪日した。「日米同盟の抑止力、対処力を早急に強化」「日本の防衛力を抜本的に強化」「防衛費の相当な増額を確保」。ロシアの恐怖を背景に、あっという間に決めた「先取反撃体制策」だ。

バイデン氏は記者から「台湾有事への軍事的関与」について質問され「イエス。それがわれわれのコミットメント(誓約)だ」とまで言ってのけた。「台湾有事は日本有事」と強弁する安倍元首相を喜ばせる回答だった。

「国の交戦権は、これを認めない」。この憲法の精神を私たちは誇りとしてきた。軍事行動は軍事訓練なくしては成立しない。それが暴力を認め、暴力に依拠する教育を生みだした。日本の教育を歪《ゆが》めた元凶である。

「武力による威嚇又は武力の行使は、国際紛争を解決する手段としては、永久にこれを放棄する」。「平和のため」に、人を殺さない。これに反する戦争は、理想の虐殺だ。

勇気ある人びと

2022年6月7日

6月4日、天安門33年。戦車の前に立ち塞《ふさ》がる若者の姿を思い起こす。彼はいまどうしているのか。この日どれだけの学生が殺害されたのか。

ロシア軍がウクライナに侵攻したあと、ロシアの政府系テレビの女性編集者が、生番組放送中のスタジオで「戦争反対」と書かれた紙を掲げた。良心と勇気。二つの映像は、見た人びとの胸を熱くした。その感動は世界の多くのひとたちの行動のささえになった

モスクワの「赤の広場」でも、サンクトペテルブルクのネフスキー大通りでも、政府へのデモ行進があった。3月中旬までに、1万5000人が拘束されたと伝えられている。

19世紀ロシア皇帝下で、ドストエフスキーが死刑を宣告されたあと、恩赦でシベリア流刑。スターリンを批判したソルジェニーツィンは1945年2月、逮捕投獄、ラーゲリ送りとなった。そして、いままた、強権プーチンの侵略戦争と国内大弾圧。

プーチン反対の国内運動の報道は減少したが、停戦にむけた国際的な運動がこれから強まるのは必定だ。バイデン政権のミサイルと戦車を送りつづけ火に油を注ぐ行為は理性的な解決策ではない。日本国憲法前文「平和を維持し、専制と隷従、圧迫と偏狭を地上から永遠に除去する」。そのための国際社会での「名誉ある地位」とは、米政権に追従するのではない、停戦と和解に努力することのはずだ。

「骨太」方針の中身

2022年6月14日

ロシア・ウクライナ戦争は停戦に至ることなく、破壊と死者をふやし続けている。その間に進んでいるのが、政府の「防衛力強化」の画策である。

防衛費は毎年、「過去最大」の更新を記録して、いまや5兆4000億円。さらにこれを倍増して11兆円にするとは、今回のロシア・ウクライナ戦争以前からの方針だった。対日貿易赤字を解消したいトランプとの首脳会談（2018年9月）で、安倍元首相が「防衛力強化」を約束していた。その年に策定された「防衛計画の大綱」に先駆け、「GDP（国内総生産）比2％」と自民党がすでに提言していた。そして急速にふえたのがFMS（対外有償軍事援助）に基づく契約だった。

防衛省中央調達契約額をインターネットで引くと、20年度に米空軍省から購入したF35戦闘機一式だけでも、1157億円。FMSの総額は4000億円余り。防衛産業の日本トップを独走してきた三菱重工の契約高を上回っている。

前年度はおよそ7000億円にも達していて、三菱重工の倍以上。FMSは代金先払い、米側が契約金額を勝手に変更して、価格高騰を招いている。

日本経済は、トランプ、バイデンと続くバイ・アメリカン（米国製品を買え）政策に支配されてきた。国債残高1026兆円。骨太方針どころか白骨方針。戦争はすべてを破壊し、膨大な死者をつくりだす。兵器のバカ買いで平和は守れない。

強制連行の記録

2022年6月21日

本州最北端。北海道とむかい合う下北半島を久しぶりにまわった。原発ばかりか、再処理工場、ウラン濃縮工場、MOX燃料加工工場、使用済み核燃料の中間貯蔵所まで備えた「原子力開発のメッカ」。わたしは「下北核半島」と呼んでいるのだが、そのすべてがストップしたままコトリとも音をたてず、このまま解体へむかうかどうか。

「むつ市」の旧名大湊は日本海軍の要港として知られ、いち早く挫折した原子力船「むつ」の母港でもあった。そこから一挙に西へむかう半島の先端にあるのが、大間原発。これも建屋があっても原子炉が収納されることなく、頓挫したまま。

その途中まで延びているのが、戦時中に建設された鉄道の残骸である。山に沿って、コンクリートの土台が雑草の茂みの間にみえる。津軽海峡防衛のため、兵員と軍需物資運搬用の工事だった。が、しかし、敗色濃厚となって中断され、線路を敷設するまでに至らなかった。

こんど行ってみると観光用に駅舎が建てられ、数十メートルだけ線路も張られてあった。まるで北海道の炭鉱地帯、高倉健の「幸福の黄色いハンカチ」のような明るさなのだ。

そのどこにも、大勢の朝鮮人が強制連行されてきて、使役され、敗戦後の帰国途上、乗船していた浮島丸が舞鶴湾で沈没、故郷に帰れなかった、この記述はない。長崎の軍艦島、佐渡金山とおなじ、強制連行の歴史の抹殺。

無責任国家

2022年6月28日

米連邦最高裁が、人工妊娠中絶の権利を否定した。1973年にこの権利を認めた最高裁判決を覆したのは、トランプ前大統領がリベラル派の判事を外して、保守派を指名していたからだった。

裁判所が「人権の砦《とりで》」と言うよりも「権力の防波堤」のようになっているのは、米国のことだけではない。被告にとって痛憤の最高裁決定はすくなくない。が、典型的なのは砂川裁判判決だった。

59年3月、砂川基地反対闘争での逮捕者が、一審の東京地裁で無罪判決となった。「米軍駐留は憲法第九条違反」とした伊達判決にたいして、マッカーサー駐日米大使が藤山愛一郎外相と会い、最高裁に「跳躍上告」をするようながした。外国の大使が政府中枢に直接政治工作したのだが、同大使は田中最高裁長官とも秘密協議を進めた。

9カ月後、最高裁は全員一致で、伊達判決破棄、米軍駐留合憲の逆転判決をだした。日本の主権が疑われた判決だった。

そして、現在只今《ただいま》、東電福島原発事故の被害者が、国に損害賠償を求めた4件の集団訴訟で、最高裁は「津波は想定外」として国の責任を免責した。わたしは原発建設時代から取材してきたのだが、その頃、自治体の首長たちは「国が安全だ、といってますから」といって推進してきた。

結局、誰も責任を取らなかった。いままた「原発の最大限利用」などという。極限の「無責任国家」だ。

差別からの解放

2022年7月5日

「人の世に熱あれ、人間に光あれ」。日本最初の人権宣言と言われる、西光万吉が起草した「水平社宣言」は、社会と万物との、人間《じんかん》すべての尊厳を謳《うた》って、被差別部落の人びとの解放ばかりか、虐げられた人びとへの励ましをいまなお与えている。

宣言から１００年。それを記念して製作された東映映画『破戒』（監督・前田和男）はいうまでもなく島崎藤村の長編小説が原作である。『破戒』は何回か映画化されたようだが、今回は60年ぶりという。藤村の小説は１９０６年、日露戦争の終結直後に出版された。

「お国のために血を流す」のを強要する教育にたいして、映画では、主人公の教員・瀬川丑松が「殺すのも殺されるのもいやだ」と教室で子どもたちに発言させている。その後の日本の軍国教育と現在の状況がダブって見えて、とても新鮮だった。

映画のテーマは、反戦というよりも差別の問題だ。丑松の父親は出身を「隠せ」と厳命する。それが生きていくための「掟《おきて》」、「桎梏《しっこく》」だった。自由に生きるためにそれを破ってすすむかどうか。その苦悩がテーマだが、藤村の敗北は時代の制約だった。

水平社宣言は１００年前に、「自ら解散せんとする者の集団運動」を提起した。いま、差別からの解放は多様な世界的なテーマになった。この映画を観《み》れば、藤村と丑松の挫折もまた、道を切り拓《ひら》いたのがわかる。

選挙のあとで

2022年7月12日

「安倍元首相銃撃」と「自民大勝」。改憲反対派の立憲も共産党も議席を減らし、九条改憲を主張する自民と維新が議席をふやした。改憲派が参院でも3分の2を占めた。野党の分断が影響した。狙撃は宗教団体と狙撃犯とのトラブルの結果のようで、政治性、思想性に関係がないようだが、これからの集会、デモへの警備は、これまで以上に厳しいものになりそうだ。

安倍氏に加えられた暴力は、けっして認められるものではない。政治家としての無念を悼む。しかし、多数の議員の数だけを恃《たの》んで議論をなおざりにし、議会制民主主義を空疎なものにしたことへの批判はもち続けたい。

森友、加計、サクラなどの身内優遇策。武器輸出を容認した「防衛装備移転三原則」の制定。「共謀罪」「集団的自衛権の行使容認」「九条改憲」「防衛予算の倍増」「敵基地攻撃の能力の保有」、米国との「核共有」など、これまでの平和政策を転換させる憲法破壊の野望を公言し続け、日本の未来に不安を与え続けた政治家として忘れない。

夏が終わった9月19日。「さようなら戦争　さようなら原発　9・19大集会」を、午後1時から東京・代々木公園で開催する。改憲の発議と原発再稼働を止めるためだ。主催は「さようなら原発一〇〇〇万署名市民アクション」と「戦争させない・9条壊すな！総がかり行動実行委員会」である。

寝た子を起こすな

2022年7月19日

ロシアのウクライナ破壊攻撃は止まる気配はなく、新型コロナウイルスの勢いは第七波、1日の感染者は大きく増えている。この閉塞《へいそく》感のなかで安倍元首相への襲撃事件が発生した。6日後の14日、岸田文雄首相は突然、秋に「国葬を行う」と発表した。「憲政史上最長の8年8カ月にわたり卓越したリーダーシップと実行力」というのが、国葬の理由のようだ。

先週のこの欄でも書いたが、安倍政治は多数を恃《たの》んで、議会制民主主義を空疎なものにした。身内を優遇したスキャンダルでボロボロ。米国との「核共有」など「平和国家」を誓った戦後の出発を否定して、軍事強化にむかってきた。長いだけが取りえなのか。

病気を理由に、二度も内閣を投げ出し、支持率も最後のころは30%台だった。それでもなおかつ国葬を強行するなら、死を内閣の補強材に利用するセレモニーの意味合いが強まる。

大がかりに国民を動員しようとする政治的利用主義は、静かに霊魂を追悼する儀式にふさわしくない。慰霊はそれぞれの個人の心の動きであって、膨大な国費を使って、反対を押し切り政治力で強行されるべきではない。悲しみの総動員体制は、靖国神社を思わせる。

死者にたいする批判がようやく鎮まろうとするとき、寝た子を起こすような、仰々しい行事への強制は、逆効果でしょうに。

旧統一教会と国葬

2022年7月26日

安倍元首相が銃撃されて、俄《にわか》にクローズアップされたのが、旧統一教会（現・世界平和統一家庭連合）の政界工作。宗教が政治的権威と結びついて信者をふやし、多数の信者が献金をむしり取られて家庭が崩壊した。その悲劇の象徴が元首相の銃殺事件だった。

「霊感商法」問題に取り組む弁護士連絡会が受けた統一教会関連の相談は、3万4000件以上、被害総額1237億円。昨年までの5年間でも約580件で54億円。安倍狙撃犯の家庭崩壊は一例にすぎなかった。

「国葬」閣議決定の夜に放映されたBS－TBSの報道1930「旧統一教会と日本政治」で、山口広弁護士は「先祖解怨《かいおん》」のために、信者が献金し続けるシステムを紹介した。

昨年9月、関連団体（UPF）の集会に「家庭の価値を強調するのを高く評価する」と安倍氏がメッセージを寄せたのを狙撃犯はみていた。教祖の文鮮明は、安倍氏が崇拝する祖父・岸信介元首相の支援で68年に「国際勝共連合」を創設した。この「反共の砦《とりで》」の信者たちは選挙のときに自民党の組織票を固め、選挙事務所のスタッフとして、選挙戦に大きく貢献してきた。

この番組で知らされたのは、文鮮明教祖の発言録『天聖経』（韓国版）で、歴史的な加害者・日本の財産を韓国に捧《ささ》げさせる、「解怨」が主張されていたことだ。恐るべきなのは、信者の家庭を犠牲にして、自民党の安倍一強があったことだ。

おどろおどろしい国葬

2022年8月2日

元首相への銃撃事件発生まで、恥ずかしながらわたしは、勝共連合や統一教会のことなどすっかり忘れていた。宗教に無関心だったからだが、不幸にも「怨念の弾丸」によって、献金に身ぐるみ剝がされた信者の悲劇がようやく明らかになった。

共同通信の世論調査によれば、安倍元首相「国葬」にたいする反対は53％と賛成の45％を上まわった。岸田内閣支持率も51％で、前回調査から12ポイントの急落。自民党と旧統一教会との関わりの実態解明を81％がもとめている。支持率急落の原因を、自民党の閣僚経験者は、「旧統一教会を巡る問題に国葬も加わって、おどろおどろしい雰囲気を醸し出してしまっている」と分析した（1日付東京新聞）。

「アベ『国葬』NO！」。浦和駅前でスタンディングを続けている武内暁さんたちは先月21日、安倍葬儀の予算施行を止める仮処分を東京地裁に申請した。

「各地の市民運動に呼びかけ、国葬反対集会を準備しています」。

「統一教会」は「世界平和統一家庭連合」と改名し、家庭平和を破壊するようになったのは、下村博文文科相時代、とは前川喜平さんの指摘だ。関係が深いのは安倍元首相ばかりか、政権幹部が軒並み。萩生田光一経産相、末松信介文科相、二之湯智国家公安委員長、岸信夫防衛相など。政治と宗教との癒着がつくりだした闇はあまりにも深い。

国葬の矛盾

2022年8月9日

毎回書くのは気が引ける。でも、安倍元首相の国葬強行は認めることができない。まったく尊敬できない人物の死を悲しみなさい、崇拝しなさいと強制されるのは、侮辱以外のなにものでもない。心に重いしこりとなって残っている。それが自分だけの感情だったならまだしも、共同通信の世論調査では53％が国葬に反対、という人物なのだ。

旧統一教会とのトラブルを巡る殺人事件。しだいに明らかになってきたのが、旧統一教会と自民党主流派である清和会（安倍派）との関係だ。

安倍氏の祖父岸信介氏と旧統一教会教祖の文鮮明氏との関係は深く、安倍氏が文氏の妻で、現在の教祖・韓鶴子氏が韓国で開催したイベントに送った、賛同のビデオのメッセージをみて、家庭生活を破綻させられた山上容疑者が激高した、と伝えられている。

政権党との近さを利用して、新興宗教が信者を拡大する。信者たちは選挙支援を通じて政治家を取り込む。この醜い共存関係にたいして「全国霊感商法対策弁護士連絡会」は、昨年9月、安倍氏に公開抗議文を送っていた。銃撃事件は醜い関係のひとつの結末だった。岸田首相がそれを党内政治の強化に利用する、この理不尽は許せない。

来たる16日（火）午後6時。新宿駅西口1階。「安倍『国葬』やめろ！緊急集会」とデモを開催する。呼びかけ人は落合恵子、佐高信、澤地久枝、鎌田。

心を冷やす国葬

2022年8月16日

旧統一教会との関係を見直すことを受け入れた人のみ、任命。それが閣僚と副大臣・政務官人事の原則。松野博一官房長官が記者会見で語った。「無関係」でなくとも、関係はあったがやめた、と言えば許す、と言わざるをえないほど、自民党と旧統一教会とのもちつもたれつ、もたれあい依存の関係は深い。新旧閣僚や党幹部まで汚染され、共同通信のアンケートでは、自民党の国会議員82人が接点を認めた。

韓国・ソウルで、創始者の追悼集会。安倍元首相がビデオメッセージを送った旧統一教会の友好団体が開催した大会場に、故安倍氏の大肖像写真が映し出され、参加者が続々と献花する光景を、テレビで見た。

日本人信者から暴力的に吸い上げた1000億円以上の資金が、反日を呼号する韓国宗教団体の巨大な建造物を建設させている。それを尻目に信者たちに選挙運動を応援させていたのだから、「愛国」を売り物にする自民党の裏切り行為といえる。

安倍国葬反対が急増している。反対79・7%。反対が賛成16・7%の約五倍にも達している（「文春オンライン」）。「国葬令」は廃止されている。ひとりの死に膨大な国費を支出し、追悼せよと強制する。岸田内閣の傲慢《ごうまん》な暴政だ。民主主義を破壊する国葬。本日16日午後6時、新宿駅西口地上階。安倍国葬反対集会とパレードがあります。

いやな感じ

2022年8月23日

岸田内閣の支持率は36％と急落、不支持率は54％と急増（毎日新聞と社会調査研究センター、8月20、21日の調査結果）。新型コロナの新規感染者は1日当たり20万人を超え、医療崩壊が進む。その一方、仕切り直しの内閣改造で、旧統一教会との汚染大臣を外したはずなのに出るわ出るわ、反社会的宗教への依存の実態。これらの報道に対し、旧統一教会本拠地のソウルで18日、「宗教弾圧」反対集会が開かれ、安倍氏に黙禱《もくとう》が捧《ささ》げられた。祖父の代からの「広告塔」としての安倍氏を悼んでいるのだが、いま反対運動が急速に拡大しているにもかかわらず、岸田内閣が「国葬」を強行するのは、旧統一教会の追悼とどこが違うのだろうか。

わたしが「国葬」を受け入れられないのは、やや大袈裟《おおげさ》になるが、魂をわしづかみにされて引きずり回されるような、理不尽を痛覚するからだ。「いやな感じ」なのだ。汚染された内閣や党幹部を不問にして、国民を統合する宗教的行事を実行する。人間を無視する暴政。国葬実行で人気を取ろうとしても、さらに不支持を急増させるだけだ。

27日（土）午後5時。新宿駅地上西口で、二度目の「国葬」反対市民集会を開催します。発言者は田中優子（前法政大学総長）、松元ヒロ（芸人）、古今亭菊千代（落語家）、落合恵子（作家）、佐高信（評論家）、鎌田など。

誰のための政治なのか

2022年8月30日

「国が前面に立ってあらゆる対応をとる」。

岸田文雄首相の、原発を稼働させせよ、との大号令。「既設原発の最大限活用を」まるで「皇国の興廃この一戦にあり各員一層奮励努力せよ」。日本海海戦にむけた、東郷平八郎のZ旗。あるいはウクライナの市街地を蹂躙《じゅうりん》するプーチンの戦車に大書されたZ印。

これまでの11年間、わたしたちが福島の人々とともにひろげてきた、原発から脱却する運動を、有無を言わさず踏み潰《つぶ》す「対応」。

原発の再稼働ばかりではない。新増設やリプレース（建て替え）、さらには運転期間の再延長。60年以上の運転さえ許される。福島原発事故に奪われたのは、故郷の山河、農業、漁業などの生業、そして、地域のコミュニティー。

あるいは子どもの甲状腺がん。労働者の被曝《ひばく》。人びとの奪われた健康と日常生活。それにたいする哀惜と畏怖。想像力と人間的な繊細な感情がない。もう一度、事故が発生したとき、国が、首相自身が、どう責任を取るつもりなのか。

いまからの原発新増設。はたして採算に合うのか。核廃棄物の処理はどうするのか。ヒロシマ出身とはいいながらも、あまりにも核にたいして、不勉強、無神経だ。

もうすでに「核燃料サイクル」の夢は破綻している。原発政策の無謀。民主主義抹殺の国葬の強行。内閣支持率は急落している。誰のための政治なのか。

「君子は豹変」するか

2022年9月6日

「勝共連合は格別の票数は持っていませんでしたが、組織の若手メンバーたちの応援ぶりは大変なものでした。数十人の応援部隊が連日詰めかけ、ポスター貼りから電話戦術などあらゆる選挙活動を滅私奉公で行うのです。そのうえ、相手候補を倒すために無謀な行動を繰り返す」(「月刊Hanada」10月号)。自民党・深谷隆司元通産相の述懐である。

深谷氏は1976年、中選挙区制で鳩山邦夫氏を相手に、ポスター破棄やデマ戦術にさらされ、1030票差で落選した。「政治家との関係は90年代から薄くなった。カルト集団としての認識が広まったためです」ともいう。

が、むしろ最近「汚染」は猖獗《しょうけつ》を極め、自民党ばかりか野党の一部にまでおよんでいる。岸田文雄首相は短兵急な奇襲で「国葬」を決定。「そりゃないよ」とのまっとうな世論を喚起させた。「週刊文春」(9月1日号)は、旧統一教会の教祖・文鮮明氏の唐津市と釜山を結ぶ「日韓トンネル」(総工費10兆円?)という虚大な計画を暴露。その熊本会議の議長が岸田氏の後援会長、との記事を掲載。麻生太郎氏も首相時代に、このトンネルに合意していた。

「滅私奉公」の宗教活動が日本の政治を歪《ゆが》めてきた。国葬反対の声はますます拡大している。「君子は豹変《ひょうへん》する」。「自民党・内閣葬」への転換こそ、民主主義に則《のっと》る政策だ。

超法規国葬

2022年9月13日

政治家の嘘《うそ》は当たり前とみなされている。その極めつきは安倍首相の「アンダーコントロール」か。放射能に苦しんでいる福島の住民を尻目に「統御している」と言い、東京五輪を誘致した。大イベントをやってみたい欲望は、いま五輪汚職で泥沼化。

一方、藪《やぶ》から棒の「国葬」宣言。一大イベントによって、安倍派の人気を得ようという閣議決定。党内政治が憲法に優先する逆転的な政治判断だが、いまや「国葬」は憲法違反、とする批判の声は、燎原《りょうげん》の火のように全国へひろがっている。

旧統一教会の信者が「滅私奉公」で選挙運動に駆り立てられ、身分不相応な献金をせまられ、破産あるいは家庭崩壊の悲劇に遭ったストーリーは、よく知られるようになった。その反社会的集団と議員との関係は自民党の点検で、179人の国会議員が接触していたと報告されている。

岸信介、安倍晋太郎、安倍晋三・岸信夫三代にわたって、統一教会、勝共連合の広告塔だったことも明らかになった。反共で繋《つな》がっていたにしても、日本人信者からカネを収奪する「反日」の教祖の教えとの整合性がわからない。戦後一回だけの吉田首相の「国葬」は超法規で実施したという。「これからは関係を絶つ」と岸田首相は断言するのだが、それは関わりの深かった安倍氏への批判そのものだ。それでもなお功績を讃《たた》えて国葬、という？

懲りない面々

2022年9月20日

大型台風が九州に上陸したと告げるニュースのさなか、代々木公園で「さようなら戦争　さようなら原発　国葬反対」の集会がひらかれた。この三つの決意は岸田内閣と真っ向から対決する。なぜ自公の悪政に長い間苦しめられるのか、と自分に問いかけながら、わたしも発言した。

集団的自衛権の行使を閣議決定したのが安倍政権だった。存立危機事態を想定した日米合同訓練も行われた。安倍政権でさえ言わなかった「国が前面に立って」老朽原発の再稼働推進、原発の新増設もする、と岸田内閣はフクシマの教訓を完全に無視している。

さらに憲法違反の「国葬」の閣議決定。「リベラル」の仮面をつけて安心させていたが、「反共」の旧統一教会汚染内閣への不信感もあって、支持率は29％（毎日新聞世論調査）。

防衛力強化のために防衛費を倍増の10兆円以上にする。そのために国債を発行するという。すでにわたしたちは1000兆円を越える国債を背負わされている。もちろん、いまの閣僚たちにも支払う覚悟はないであろう。

岸田氏ばかりか麻生氏、安倍氏、福田氏、中曽根氏はみな三代目政治家。家業は綿々として続き、繁栄していて目出たい。「売り家と唐様で書く三代目」。古川柳が茶化《ちゃか》す斜陽の三代目のようには落ちぶれず、「売り家」どころか「売国」の様相なのだ。

今日の「国葬」反対デモ

2022年9月27日

「故人に対する弔意と敬意を国全体として表す儀式」というのが、岸田首相の「国葬」の位置づけだ。が、「弔意と敬意」をもっていないひとにたいして、閣議決定で「弔意と敬意」を押しつけられるのは認められない。それがわたしの心の叫びだ。

好き、嫌い。もっとも基本的な人権としての価値判断を、一方的に閣議決定で強制する。それを認めたら戦争も閣議決定で決められる。議会制民主主義の崩壊である。

襲撃事件のあと、いまごろになって、旧統一教会との関係を打ち切れ、と党員たちに指示するのは、岸信介元首相以来、親子三代にわたる「広告塔」安倍家の存在と政治行動の否定そのものだ。

統一教会が、莫大《ばくだい》な寄付を要求して信者の家庭生活や二世たちの人生を破壊した、反社会的な存在だとしたなら、その勢力の全面的な協力によって議会多数を占めた自民党は、巨大な悪の集団と手を結んでいたことになる。

「アンダーコントロール」の巨大なウソに加え、国会での118回におよぶウソ答弁は、長期政権の驕《おご》りによる議会軽視だった。さらに閣議決定だけで、戦前回帰を思わせる国税浪費の「国葬」。

今日、午後零時半。日比谷公園南側「中幸門」で反対集会。落合恵子、佐高信、松元ヒロ、鎌田が挨拶。1時から、抗議デモ出発。西銀座通過、東京駅付近まで。ほかに2時から国会前集会もあります。

あとがき

「平和国家から戦争大国へ」を阻む

このコラムの連載中に、安倍氏、菅氏、岸田氏と、自公民党政権の首相と三代にわたってつき合うことになった。連載をはじめるのにあたって、コラムで政治批判をしよう、と考えていたわけではなかった。が、そのとき、そのときで、言わなければならない、と思うことがあまりに多かった。

岸田内閣になってから、急速にキナ臭くなった。戦争に傾斜する不安が強まっている。安倍も菅も岸田も戦争を知らない世代。戦場の悲惨ばかりが戦争の悲惨ではない。かつて日本列島を覆った戦争体制が、どれほど日本人の精神と肉体の破壊を招いたか。その恐怖がない。

権力者たちとその家族は生き延びたからだ。ヒロシマ、ナガサキばかりか、日本の主要な都市が空襲を受け破壊された。沖縄の窮状を訴えに官邸へ出向いた沖縄県知事にたいして、菅首相は「わたしは戦後生まれですから」といい、「沖縄ばかりがひどかったわけではない」ともいった、とか。日本は被害者だったばかりでない。加害者だった、との自責の念がない。

いまや「台湾有事＝日本有事」。台湾が中国に侵略されれば、日本の戦争だ、とするとんでもないデマが、大手をふって歩いている。日本の自衛隊がアメリカの戦争の助手にされる。「存立危機事態」とするフィクションが、「集団的自衛権」を行使させる。

安倍首相以来、「防衛力の抜本的強化」が主張されてきた。憲法でギリギリに抑えてきた「先守防衛」の規制を、意識的に踏みはずす野望だ。それは「満州建国」を担った祖父・岸信介の遺恨のようだ。自民党の多数派・「安倍派」に支配されている岸田内閣は、「敵基地攻撃能力」を「反撃能力」と言い換え、防衛予算を倍増させ、敵基地に侵入する巡航ミサイル「トマホーク」の大量導入をめざしている。ゼネラル・ダイナミクスなどの米軍需産業から500機も押しつけられる。「防衛力の抜本的強化」とは、敵基地攻撃力の強化のことだ。岸田内閣がめざす年間10兆円以上の「防衛費」は、インド、ロシアを抜いて米中につぐ金額になる。ちなみいえば、一人当たりの「社会保障費」は、世界第17位である。コロナ下で、市民は健康不安と生活不安におののいている。それを尻目に「防衛費」という名の「軍事費」は倍増される。

悪政が列島を覆い尽くそうとしている。「燎原の火のように」とわたしは形容したのだが、9月27日の「国葬」強行にたいする反対運動の拡がりは、個人を国家に統合しようという、露骨な支配にたいする抵抗運動だった。それがこれからの運動の可能性を示していた。

2018年5月15日までの3年分のコラムは、その年の夏に『言論の飛礫《つぶて》――不屈のコラム』(同時代社刊)として出版した。今回は4年半分。やはり、週ごとの出来事の記録だが、日本の現代史の断面を書きつづけた、との自負はある。これからは「戦争をさせない」が、文筆最大の課題になろう。

この本は、東京新聞「こちら特報部」の皆さん、論創社の森下紀夫・雄二郎さん、そして取材に協力して頂いた多くのひとびとのお力添いによって出版できたものです。記してお礼申し上げます。ありがとうございました。

鎌田　慧

2023年3月

鎌田 慧
（かまた・さとし）

1938年青森県生まれ。
新聞、雑誌記者を経て、ルポルタージュ作家に。
原発、開発、冤罪、労働、沖縄、教育など、社会問題全般を取材、執筆。
それらの運動に深く関わっている。

主な著書に
『新装増補版 自動車絶望工場』（講談社文庫）、
『狭山事件の真実』（岩波現代文庫）、
『反骨 鈴木東民の生涯』（新田次郎賞、講談社文庫）、
『屠場』（岩波新書）、
『六ヶ所村の記録』（毎日出版文化賞、岩波現代文庫）、
『残夢 大逆事件を生き抜いた坂本清馬の生涯』（講談社文庫）
など多数。

叛逆老人 怒りのコラム222

2023年7月20日 初版第1刷印刷
2023年7月30日 初版第1刷発行

著者 鎌田 慧
発行者 森下紀夫
発行所 論創社
東京都千代田区神田神保町2-23 北井ビル
電話03（3264）5254 振替口座00160-1-155266

装幀 宗利淳一
組版 加藤靖司
印刷・製本 中央精版印刷

ISBN978-4-8460-2277-8